THREE PLAYS FROM PLAUTUS

By the same author

PLAUDITE!

AN INTRODUCTION TO ROMAN COMEDY
for pupils in 2nd and 3rd year of Latin

G. BELL AND SONS LTD.

THREE PLAYS

FROM

PLAUTUS

Adapted for reading or acting
by middle forms of schools

by

STEPHEN ALLOTT, M.A., B.Litt.

Senior Classics Master
Bootham School, York

LONDON

G. BELL AND SONS LTD

1971

First Published 1966
Reprinted 1968, 1969, 1971

ISBN 0 7135 0029 8

Printed in Great Britain by
William Clowes & Sons, Limited, London, Beccles and Colchester

Preface

This book is offered to meet the needs of pupils in their
third or fourth year, when they are past the stage of 'made
up' Latin but not yet able to read Caesar or Vergil with
sufficient ease to maintain speed and interest. The plays
have been considerably abbreviated, but little further
alteration has been needed to remove obscurities and ante-
classical usages.

The simple sentence-structure of dialogue and its ten-
dency to repeat vocabulary should enable pupils to read
more quickly, and the notes have been placed at the foot
of each page for the same purpose. It is hoped that the
plays will normally be read aloud, that translation will be
into the most contemporary English and that some scenes
at least will be acted. Some help is given with pronunciation
in the notes; most long vowels are marked in the Vocabulary.

Comedy presents Latin as a living language of ordinary
people, a valuable corrective to military or legendary
reading-matter. Plautus has his importance too in the
history of literature, and now that few take their Latin
beyond the fifth form stage, an adaptation is the only
means by which the majority can get a flavour of Roman
Comedy. Plautus, that prince of adapters, would, it is
hoped, have approved.

S. ALLOTT

Contents

Contents

PLATES

following page 6

I. THE THEATRE AT EPIDAURUS
The plays of Menander and Plautus' other Greek models
were first produced in theatres like this. It was designed
and built by the architect Polycleitus in the fourth century
B.C. As with most Greek theatres, a hill-side is used to provide tiered seating. The flat, circular area, with an altar at
its centre, is the 'orchestra' where the chorus of classical
tragedy and comedy danced and sang. The seating extends
rather more than half-way round the 'orchestra', the ends
being banked up artificially and held by a retaining wall.
Entrances into the 'orchestra' separated the stage from the
auditorium. Beside the 'orchestra' are the remains of the
stage-building. There was no curtain and no artificial
lighting, and the stage entrances were as in Plautus' theatre.
The auditorium seated well over 7,000 people and its
acoustics are still so good that dialogue can be heard clearly
to the back row.

II. THE ROMAN THEATRE AT ORANGE
The auditorium is semi-circular—the front of the stage
cutting across the centre of the 'orchestra', which was now
used for seating. The high stage was backed by a very high
wall, elaborately decorated and possibly partly roofed over.
Awnings could be hung over the auditorium and a curtain
raised smoothly to hide the stage. Such permanent theatres
were not built till the first century B.C.

III. MENANDER CHOOSING A MASK
Menander holds up a young man's mask, while the Muse
of Comedy watches him. On the table is the mask of a
young woman (as would be worn for Palaestra) and another
of a bearded old man. This relief is a copy, made in the
first century A.D., of an original of the time of Menander.

IV. ANGRY FATHER AND DRUNKEN SON
A relief from Pompeii of the first century A.D. A slave
supports the young man, who is dancing drunkenly, while
his father is being restrained from attacking him by an
elderly friend. The accompanying flute-player stands
between them. Behind, a curtain seems to have been hung to
screen one of the doors at the back of the stage.

V.   ZEUS, HERMES AND ALKMENE
     Zeus and Hermes are preparing to visit Alkmene, seen
     inside the window. Plautus used this story as the plot of his
     play *Amphitruo*, but this vase, made in southern Italy in the
     fourth century B.C. and painted by Assteas of Paestum, was
     inspired by the farces of the period. Hermes wears a country-
     man's hat and mask and an orange cloak, and carries an oil
     lamp as well as his herald's staff. Zeus wears a mask and a
     silly little crown. Both wear tights, and their jerkins are red
     with patches of pink. Alkmene wears a red tunic and head-
     scarf and a necklace.

VI. CHEIRON AND SLAVES
     Another southern Italian vase-painting of the fourth cen-
     tury B.C. The centaur Cheiron is forced up onto the stage
     by two slaves. A bundle of luggage, wrapped in a blanket,
     rests on the stage with a hat on top of it. Two nymphs
     watch, perhaps from behind a screen painted to look like
     rocks. (Such scenery might have been used in *Rudens*). The
     young man has no mask and so is an onlooker, not a charac-
     ter in the play.

VII. WOMEN AT BREAKFAST
     A scene from the play of Menander on which Plautus based
     his *Cistellaria*. The drinking-party in the *Mostellaria* might
     be played like this. The old woman on the right is com-
     plaining about the quality of the drink. The border suggests
     that the scene is at the left side of the stage. The old woman
     wears a grey tunic and yellow wrap; the younger women
     are in yellow, the one on the left has earrings and a yellow
     band round her hair, the one in the centre has her hair
     parted and held in a silver clasp. A boy waits on the right,
     probably to remove the table. The mosaic is a copy from
     Pompeii of an original third-century painting.

VIII. REVELLERS
     A scene similar to the entry of Callidamates. A youth in a
     blue tunic and red cloak beats a tambourine, while another
     in a violet tunic and white cloak dances and plays the clap-
     pers. The flute-girl wears a blue tunic and a yellow wrap.
     The boy has no mask and so has not a speaking part. The
     artist, Dioskourides, is the same as for the 'Women at
     Breakfast', the original also being third century B.C.

Introduction

TITUS MACCIUS PLAUTUS ('Flat-foot') was born in the Umbrian village of Sarsina in 254 B.C. He came to Rome and worked in the theatre as stage-carpenter, and perhaps also as a player of small parts, thus gaining practical experience of the stage. Later he went into business as a trader and as a miller. But he did not forget the theatre. By 212 B.C. he was writing plays himself; he soon eclipsed the work of his predecessors and became Rome's most successful playwright. By the time of his death in 184 B.C. he had written at least fifty comedies, of which twenty-one survive. In fact, in ancient times over one hundred and thirty plays were ascribed to him, owing to the fact that unscrupulous producers found that it was good business to advertise the work of less famous dramatists as being by Plautus.

Farces had long been a popular form of entertainment in Italy. Some made fun of the stories of Greek mythology; others used stock characters, such as Pappus the old fool, Manducus the glutton, Dossenus the hunchback, Bucco 'Fat-cheeks' and Maccus the clown. Plautus' middle name may well be a stage-name, drawn from his favourite part in the native farces.

But Rome already had a taste for something more sophisticated. The Greek towns of southern Italy and Sicily had open-air theatres and a well-developed drama. In Athens plays had been performed since the sixth century B.C. The great tragedians, Aeschylus, Sophocles and Euripides, and the comic playwright, Aristophanes, had all written in the fifth century. More recently a new type of comedy had developed, with Menander (342–291 B.C.) its best-known writer. It had stock characters, as in the Italian farce, but was more refined and more literary. It is not surprising that the Romans came to demand a drama of this kind for themselves; and what method was simpler than to adapt the Greek plays for the Roman stage?

All Plautus' plays are of this type. He makes no attempt to conceal their Greek origin, retaining the Greek names and settings, and even a number of Greek words (e.g. *nauclerus, thalassicus, danista, mina*). None of his Greek originals survives—Menander's *Dyskolos* is the only complete example of the New Comedy extant—so we cannot tell how free his adaptation was. It is possible that he sometimes combined parts of two Greek plays to make a single Latin play. Thus in the *Miles Gloriosus* the fooling of Sceledrus might come from a different play from the main story of the deception of the Miles. The plays of Plautus are certainly more than mere translations, as the references to Roman features show (e.g. *aediles, praetors, impluvium*); their liveliness and vigour are surely Plautus' own.

Rome had no permanent theatre buildings like those in Greek cities until Pompey built his stone theatre in the Campus Martius in 55 B.C. Plautus used a temporary wooden stage, and wooden seating was provided, for senators at least; many of the audience would have stood or sat on the ground. The stage was probably long and narrow, like that in the Greek theatre, so that it naturally represented a street; but it would not have been as long as the sixty yards found in some later Roman theatres. It was probably not more than five feet high. Actors could come on from either side or through one of the three doors in the back wall of the stage, which normally represented the front doors of houses. They could also appear on the roof, as Sceledrus does in the *Miles Gloriosus*.

Plays were only produced at the public games. The 'Ludi Romani', in honour of Jupiter (Sept. 15th), had had plays of some sort since the fourth century, and in Plautus' day the 'Ludi Plebeii' (Nov. 15th) and the 'Ludi Megalenses', in honour of the Magna Mater (April 4th), also began to be celebrated by drama. Women and children attended as well as men and admission was free—it was only later that tickets were issued for booked seats. The state made a grant towards the cost of production, but much depended on the interest of the aedile responsible. Plays were only one of the

entertainments offered at the Games. Circus races, gladiatorial fights, wrestling, boxing, acrobatics competed for the
attention of the audience.

The author probably sold his plays to an actor-manager
whom the aedile would hire for the Games. Some of the
actors may have been slaves; others were part-time pro-
fessionals. All women's parts, as in Greece and in Eliza-
bethan England, were played by men. Competition was
keen between the different companies—prizes of gold and
silver crowns were awarded both to companies and to
individual actors. But pay cannot have been high, and
actors were low in the social scale, except for the star per-
formers of a later period. Economy no doubt kept troupes
small, and not more than five actors will have been used for
each play. As in Greek drama, many parts were 'doubled'.
Between the Games actors may have eked out a living
playing farces or following a trade.

Acting was not naturalistic as today. Playing in the open
air made it more difficult for words to be heard, even if
there were no distracting sounds from competing entertainments. The actor faced the audience and declaimed his lines
loudly and clearly. All Plautus is in verse (not preserved in
this adaptation), and much of this was accompanied by a
flute-player, who stood on the stage behind the actor,
playing two twenty-inch recorder-like pipes, which were
strapped to his mouth so that both hands were free to play
the notes. But there are no songs in Plautus, and the actors
did not sing; they may have intoned in a sing-song
voice, the music accentuating the rhythm of the
verse.

All the actors with speaking parts wore masks. These
were made of linen, and covered the whole head, being
fastened under the chin and incorporating a wig. The
ancient scholar Pollux lists forty-four stock types of mask,
and it seems that masks were not made to suit the individual
characters in a play; stock types were selected, but this
suited a drama of stock characters. The wearing of masks
made it easy for an actor to change costume quickly to
appear in another part.

In plays derived from the Greek theatre the actors wore

Greek costume—a linen or woollen tunic (*chiton, tunica*) and a cloak or wrap (*himation, pallium, palla*) with sandals or slippers. The tunic could be worn without the cloak, especially by slaves, and might be sleeveless. Women's costume was ankle-length. Plays on Roman subjects used Roman dress, and hence were known as *fabulae togatae*; Plautus' plays are *fabulae palliatae*, from the distinctive *pallium*.

Production, like acting, was not naturalistic. An altar stood on the stage, even when it was not required by the action. Scenery, where there was any, would be of the simplest. Though the three doors at the back of the stage naturally represented three houses, often only two were required—a curtain was perhaps draped over the third—and one could equally well represent a temple. Scenes which obviously took place indoors, such as a drinking party or a woman in her boudoir making up, were quite acceptable on stage, though everyone knew such things were not done in the street. There was no curtain (until more elaborate stone theatres were built) and hence no change of scene. Properties and furniture were removed by attendants with walk-on parts.

It was an accepted convention that characters coming from a distance, from abroad or from the harbour for instance, came on stage from the audience's left, while those coming from nearby, usually from the town, came on from the right. Pantomime has a similar convention for the good and bad fairies. The stage settings for the plays in this book would be as follows:

MOSTELLARIA

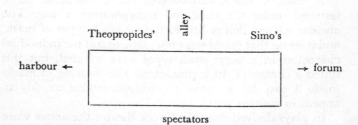

MILES GLORIOSUS

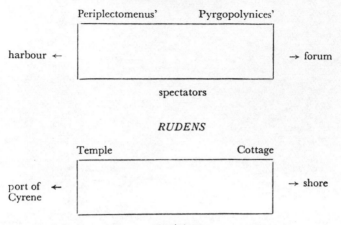

RUDENS

Plautus was little regarded in the Middle Ages; in fact twelve of his plays were lost till Nicholas of Trèves found them in an old manuscript in 1429. Many translations and adaptations were made and performed in the sixteenth and seventeenth centuries. Plautus has consequently had more influence on the development of modern drama than any other classical writer, with the possible exception of Seneca. Shakespeare, for example, based his *Comedy of Errors* on Plautus' *Menaechmi* and *Amphitruo*.

National Tourist Organisation of Greece

I. The Theatre at Epidaurus

II. The Roman Theatre at Orange

III. Menander choosing a mask

IV Angry father and drunken son

V. Zeus, Hermes and Alkmene

VI. Cheiron and slaves

VII. Women at breakfast

Museo Nazionale, Naples. Mansell-Alinari

VIII. Revellers

MOSTELLARIA

(*The Ghost*)

DRAMATIS	THEOPROPIDES, an elderly merchant
PERSONAE	PHILOLACHES, his son
	TRANIO, house-slave of Theopropides
	GRUMIO, slave from Theopropides' farm
	PHILEMATIUM, Philolaches' girl-friend
	SCAPHA, her attendant
	CALLIDAMATES, friend of Philolaches
	DELPHIUM, Callidamates' girl-friend
	SIMO, elderly neighbour of Theopropides
	MISARGYRIDES, a money-lender
	PHANISCUS and PINACIUM, slaves of Callidamates
	Other slaves of Theopropides and Simo

The scene is a street in Athens outside the houses of Theopropides and Simo, which are separated by a narrow alley. An altar stands in front of Simo's house. To the left the street leads to the port of Piraeus, to the right to the centre of Athens and the country beyond.

SCENE ONE

Enter GRUMIO *from* THEOPROPIDES' *house, very angry.*

GR. Exi e culina; egredere ex aedibus! Ego pol te ulciscar, si vivam. Exi, inquam, e culina! Quid lates?

Enter TRANIO, *also from the house.*

TR. Cur hic ante aedes clamas? An ruri censes te esse? Abscede ab aedibus; abi rus; abscede ab ianua! (*He suddenly lets loose on* GRUMIO *a flurry of blows with a* 5 *shopping-bag he is carrying.*)

---

1. **pol**: abbreviation for *edepol*, 'by Pollux'.
2. **quid lates?**: *quid?* why?
3. **an rūri censes**: '*an*' introduces a question.

GR. Perii! Cur me verberas?

TR. Quia vivis!

GR. Patiar. Modo adveniat senex! Nunc, dum tibi licet, pota, perde rem, corrumpe adulescentem optimum.
5 Haecne mandavit tibi senex, cum peregre hinc iit? Hocne esse officium servi boni existimas, ut eri sui corrumpat et rem et filium?

TR. Tace atque abi rus! Ego ire in Piraeum volo. Molestus ne sis nunc iam; i rus, te amove! (*Exit.*)

10 GR. Abiit, neque quod dixi flocci existimat. Di immortales, facite ut huc redeat quam primum senex noster, qui iam hinc triennium abest, priusquam omnia pereant, et aedes et ager! Nunc rus abibo; nam eri filium video corruptum ex adulescente optimo. (*Exit.*)

Enter PHILOLACHES *from the house. He looks miserable.*

15 PHS. Cor dolet, cum sciam ut nunc sim atque ut fuerim. Disco, hastis, pila, cursu, armis, equo vivebam libenter. Optimi quique expetebant a me doctrinam sibi. Nunc nihili sum.

Enter PHILEMATIUM, SCAPHA *and a slave-boy. They do not*

---

1. **perii:** 'Help!' 'I'm ruined', literally 'I have perished'.
2. **quia vīvis:** i.e. his sheer existence is excuse enough.
3. **patiar:** 'I'll bear (it)', 'I'll survive'.
3. **modo adveniat:** subj. for a wish, 'just let the old man come'.
4. **perde rem:** 'destroy his property'.
5. **peregre iit:** 'he went abroad'.
9. **nē sis:** *ne* and subj. for a prohibition, 'don't be . . .'.
10. **flocci:** gen. of value, 'worth a straw'.
11. **facite ut redeat quam primum:** indirect command, 'bring it about that he return as soon as possible'.
11. **iam . . . abest:** 'has already been away'.
12. **priusquam omnia pereant:** subj., as this is part of Grumio's purpose—that the old man should come back before all is gone.
15. **ut nunc sim:** subj. in indirect question, 'how I am now'.
16. **disco . . . vīvebam:** *vivere* and abl., 'to live on'.
17. **optimi quique:** 'all the best men'.
17. **doctrīnam:** 'teaching'.
18. **nihili:** gen. of value, 'worth nothing'.

notice PHILOLACHES *who hides in the alley.* SCAPHA *is carrying a mirror, jewel-case and make-up preparations.*

PHS. O Venus, haec illa est tempestas mea, quae mihi modestiam omnem detexit.

PHM. Aspice, mea Scapha! Satisne haec me vestis decet? Volo placere Philolachi, meo ocello.

SC. (*Bored with* PHILEMATIUM's *fussing*) Quid est? 5

PHM. Quin me aspice!

SC. Venusta es.

PHM. Da mihi speculum, et cum ornamentis arculam, Scapha, ornata ut sim, cum huc veniat Philolaches, voluptas mea. 10

SC. Quid opus est speculo tibi?

PHM. Da cerussam.

SC. Quid opus cerussa?

PHM. Ut malas oblinam.

SC. Cape igitur speculum. (PHILEMATIUM, *now satisfied with* 15 *her appearance, kisses herself in the mirror.*)

PHS. (*In mock jealousy*) Hei mihi misero! Osculum speculo dedit!

PHM. Age, aspice aurum et pallam. Satisne haec me decet, Scapha?

---

1. **tempestas ... detexit:** he feels his heart is exposed as when a storm has ripped the roof off a house.
4. **ocello:** 'darling', lit. 'eyelet'; diminutives are often used in an affectionate sense.
6. **quin me aspice:** 'why not look at me' (a command, not a question).
9. **cum hūc veniat:** it is her purpose to be in her finery 'when he comes', so *veniat* is subj. as well as *sim*.
11. **quid opus est ...:** 'why do you need ...?' '*Opus est*' takes the ablative.
13. **cērussa:** whitening (a white-lead paint).
14. **ut mālas oblinam:** 'to paint my cheeks'.
16. **osculum:** a kiss.

SC. Non me curare hoc oportet.

PHM. Quem, obsecro?

SC. Philolachem. Moneo ego te, te ille deseret.

PHM. Non spero!

5 SC. Insperata accidunt magis saepe quam quae speras.

PHM. Solam ille me soli sibi suo sumptu liberavit.

SC. Stulta ecastor tu quidem es!

PHS. Nimis diu abstineo manum. (*He advances.*) Quid hic vos agitis?

10 PHM. Tibi me exorno ut placeam.

PHS. Ornata es satis. (*To* SCAPHA) Abi tu hinc intro atque ornamenta haec aufer. Sed, voluptas mea, mea Philematium, potare tecum mihi libet.

PHM. Et edepol mihi tecum; nam quod tibi libet, idem 15 mihi libet, mea voluptas. (*To the slave-boy*) Da aquam manibus, puer; adpone hic mensulam. (*She reclines at the table.*)

Enter CALLIDAMATES, *drunk and supported by* DELPHIUM.

PHS. Sed estne hic meus sodalis, qui huc incedit cum amica sua? Is est. Callidamates cum amica incedit.

CA. (*To* DELPHIUM) Ecquid tibi videor ma-ma-madere?

20 DE. Cave ne cadas; asta!

CA. O-o-ocellus es meus!

DE. Da manum; nolo equidem te affligi.

CA. Em! tene!

---

1. **non me oportet:** impersonal verb, 'it's not my duty'.
2. **quem:** sc. *oportet*, 'whose duty is it?'
13. **mihi libet:** impersonal verb, 'it is my pleasure'.
19. **ecquid?:** any? at all?
19. **madēre:** to be soaked, sozzled.

DE. Age, i simul.

CA. Quo ego eam?

DE. An nescis?

CA. Scio. In mentem venit modo. Iam memini. (*He staggers towards* THEOPROPIDES' *house, not yet having noticed* PHILOLACHES *and* PHILEMATIUM.)

PHS. (*To* PHILEMATIUM) Num nonvis me his obviam ire, 5 anime mi? Iam revertar.

PHM. Diu est 'iam' id mihi.

CA. (*Knocking at* THEOPROPIDES' *front door*) Ecquis hic est?

PHS. (*Approaching from behind*) Adest!

CA. Eu, Philolaches, salve amicissime mihi omnium 10 hominum!

PHS. Di te ament! Accuba, Callidamates.

PHM. Quin accubas, Delphium mea? Da illi quod bibat.

CA. Dormiam ego iam. (*He does so as* TRANIO *returns with the shopping.*)

PHS. Ecce Tranio a portu redit. 15

TR. Philolaches!

PHS. Quid est?

---

1. **ī simul:** 'go with me' (lit. 'go at the same time').
2. **quō eam?:** deliberative subj., 'where am I to go?'
4. **modo:** 'just now'.
5. **num nōnvīs:** 'surely you don't mind . . . ?' (lit. 'don't not wish').
6. **anime:** term of affection, 'dear heart'.
6. **iam revertar:** 'I shall return instantly'.
10. **eu:** Greek for 'well', 'well done'; also in the form *euge* or *eugepae.*
12. **dī te ament:** subj. for a wish, 'God bless you!'
13. **quīn accubas:** 'why don't you lie down', an invitation to join her and Philolaches who are reclining at the table in Roman fashion.
13. **quod bibat:** subj. implying purpose, 'something to drink'.

TR. Et ego et tu . . .

PHS. Quid et ego et tu?

TR. Periimus.

PHS. Quid ita?

5 TR. Pater adest.

PHS. Quid ego ex te audio?

TR. Pater, inquam, tuus venit.

PHS. Ubi is est, obsecro?

TR. In portu iam adest.

10 PHS. Quis id ait? quis vidit?

TR. Egomet, inquam, vidi.

PHS. Quid ego nunc faciam?

TR. Iube haec hinc omnia auferri. Quis istic dormit?

PHS. Callidamates.

15 TR. Suscita istum, Delphium.

DE. Callidamates, Callidamates! Vigila!

CA. Vigilo. Da ut bibam.

DE. Vigila! Pater advenit Philolachei!

CA. Valeat pater!

20 PHS. Valet ille quidem—atque ego disperii.

CA. Bis peristi? Quomodo potest?

PHS. Quaeso edepol, exsurge: pater advenit.

CA. Tuus venit pater? Iube abire rursus. (*He lies down again.*)

---

19. **valeat . . . valet**: 'farewell' . . . 'He is well'.
21. **bis peristi**: the drunken Callidamates mishears '*disperii*' as '*bis perii*'.

PHS. Quid ego agam? Pater iam hic me inveniet ebrium, aedes plenas convivarum et mulierum!

TR. Ecce autem hic deposuit caput et dormit! Suscita!

PHS. Etiam vigilas? Pater, inquam, aderit iam hic meus!

CA. Aisne tu 'pater'? Da soleas mihi, ut arma capiam; iam 5 pol ego occidam patrem!

PHS. Perdis rem.

DE. Tace, amabo.

TR. (*To slaves*) Abripite hunc intro. (*They do so.*)

PHS. Perii! 10

TR. Habe bonum animum.

PHS. Nullus sum.

TR. Tace. Satisne habes si ego advenientem patrem faciam non modo ne intro eat verum etiam ut fugiat longe ab aedibus? Vos modo hinc abite intro atque haec hinc 15 propere auferte. Aedes iam fac occlusae sint; intus cave muttire quemquam siveris.

PHS. Curabitur.

TR. Tamquam si intus nemo in aedibus habitet.

PHS. Licet. 20

---

8. **amābo:** 'please, dear' (lit. 'I shall love' sc. 'you if you do').

11. **habe bonum animum:** 'keep your spirits up'.

12. **nullus sum:** 'I'm finished'.

13. **satisne habes si . . . :** 'will it satisfy you if I make your father when he comes not only not go in but actually . . .'.

16. **fac occlūsae sint:** subj. for indirect command (*ut* being omitted), 'see it is shut'. Similarly *'ne'* is omitted in *'cave . . . siveris'*, 'see you don't allow anyone to let out so much as a mutter'.

19. **tamquam si . . . habitet:** subj. in an imaginary comparison, 'as if no one were living . . .'.

20. **licet:** 'it is allowed', 'all right'.

TR. Neu quisquam respondeat, cum has aedes pultabit senex.

PHS. Numquid aliud?

TR. Clavem mihi harum aedium iam iube efferri—has ego
5 aedes occludam hinc foris.

PHS. In tuam custodiam meque et meas spes trado,
Tranio. (*He goes in.* TRANIO *removes traces of the recent carouse.*
SPHAERIO, *a slave, comes out with the key, which* TRANIO
does not notice at first.)

TR. Sed quid tu egrederis, Sphaerio?

SP. Em clavem!

10 TR. Optime praeceptis paruisti. Clavem trade atque abi
intro atque occlude ostium, atque ego hinc occludam. (*He
does so.*) Iube venire nunc iam! Concedam a foribus huc;
hinc speculabor procul. (*He retires to the alley.*)

Enter THEOPROPIDES *from Piraeus, with two slaves.*

TH. Habeo, Neptune, gratiam magnam tibi, quia me
15 amisisti a te vivum.

TR. (*Aside*) Edepol, Neptune, peccavisti, qui occasionem
hanc amisisti bonam!

TH. Triennio post Aegypto advenio domum; credo,
exspectatus veniam familiaribus.

20 TR. (*Aside*) Nimio edepol ille potuit exspectatior venire,
qui te nuntiaret mortuum.

TH. Sed quid hoc? Occlusa est ianua. Pultabo. Heus!
Ecquis intus est?

---

1. **respondeat:** jussive subj.
9. **em clāvem:** exclamatory acc., 'there's the key'.
12. **iube venire:** sc. *patrem.*
15. **āmīsisti:** *amittere* means 'let go' or 'lose'; Tranio plays on this
double meaning.
19. **exspectātus familiāribus:** 'welcome to my household'.
20. **nimio:** 'too much', 'far'.
22. **quid hoc?:** understand '*est*'.

TR. (*Approaching and pretending not to recognise* THEOPROPIDES)
Quis homo est, qui ad nostras aedes accessit?

TH. Meus servus hic quidem est Tranio!

TR. O Theopropides, ere, salve! Salvum te advenisse
gaudeo!   5

TH. Quid vos? insanine estis? Foris ambulatis. Nemo in
aedibus servat, neque qui recludat neque qui respondeat.

TR. Eho! An tu tetigisti has aedes?

TH. Cur non tangerem? Pultando paene confregi fores.

TR. Vah!   10

TH. Quid est?

TR. Male hercle factum!

TH. Quid est negoti?

TR. Fuge, obsecro, atque abscede ab aedibus; fuge huc,
fuge ad me propius!   15

TH. Quam ob rem?

TR. Et heus! iube illos illinc abscedere! (*He points to*
THEOPROPIDES' *attendants.*)

TH. Abscedite.

TR. Septem menses sunt, cum in has aedes nemo intro
pedem tetulit.   20

TH. Quid ita?

---

6. **quid vos?**: understand '*agitis*'.
6. **nēmo ... respondeat:** 'no one is on duty, either to open up
   or to answer'.
9. **cūr nōn tangerem?**: deliberative subj., 'why was I not to
   touch . . .?'.
9. **pultando**: gerund, 'with knocking'.
13. **quid est negōti?**: partitive gen., 'what's the trouble?'.
19. **septem menses sunt, cum . . .:** 'it's seven months since . . .'.

TR. Circumspice! Num quis est qui sermonem nostrum audiat?

TH. Tutum est.

TR. Circumspice etiam!

5 TH. Nemo est. Loquere nunc iam.

TR. Capitalis caedes facta est.

TH. Quid est? Non intellego.

TR. Scelus, inquam, factum est iam diu antiquum et vetus.

TH. Quid est? aut quis id fecit?

10 TR. Hospes necavit hospitem—iste, ut ego opinor, qui has tibi aedes vendidit.

TH. Necavit?

TR. Aurumque ei ademit hospiti, eumque hic defodit hospitem in aedibus.

15 TH. Quapropter id vos factum suspicamini?

TR. Ego dicam; audi. Ut foris cenaverat tuus natus, postquam rediit a cena domum, abimus omnes cubitum, condormivimus. Ille exclamat repente.

TH. Quis? an natus meus?

20 TR. St! tace, audi modo! Ait venisse illum in somnis ad se mortuum.

TH. In somnis?

TR. Ita; sed audi modo.

TH. Taceo.

---

1. **num quis ... qui audiat:** 'is there anyone who might hear?'
4. **circumspice etiam:** 'look round again'.
10. **hospes necavit hospitem:** a '*hospes*' was a person bound by ties of hospitality, so a 'host' or a 'guest'.
13. **adēmit hospiti:** 'took from his guest', dat. of disadvantage.
16. **ut forīs cenaverat:** 'as he had dined out'.
17. **cubitum:** acc. of the supine expressing purpose after a verb of motion, 'to bed'.

TR. Sed ecce quae illi mortuus: 'Ego transmarinus hospes sum Diapontius. Hic habito; nam me Acheruntem recipere Orcus noluit, quia praemature vita careo. Per fidem deceptus sum. Hospes hic me necavit, isque me defodit insepultum clam in his aedibus, scelestus auri causa. Nunc tu hinc 5 emigra. Scelestae sunt aedes.' Quae hic monstra fiunt, anno vix possum eloqui. St! st! (*Noise from within the house.*) Fuge, obsecro, hercle!

TH. Quo fugiam? Etiam tu fuge!

TR. Nihil ego timeo: pax mihi est cum mortuis. 10

Voice from within. Heus, Tranio!

TR. Non me appellabis, si sapis; nihil ego commerui, neque istas percussi fores.

TH. Quae res te agitat, Tranio? Quocum istaec loqueris?

TR. An tu appellaveras? Ita me Di amabunt, mortuum 15 illum credidi expostulare, quia percussisses fores. Sed tu etiam astas?

TH. Quid faciam?

TR. Tu, ut coepisti, fuge, atque Herculem invoca.

TH. Hercules, te invoco. (TRANIO *bundles him away, then* 20 *returns.*)

---

1. **quae illi mortuus:** sc. *dixit*.
2. **Diapontius:** 'Overseas' (Greek for 'transmarinus').
2. **Acheruntem:** Acheron, a river of the Underworld; Plautus uses the acc. for 'motion to' without a preposition, as though Acheron were a town.
3. **Orcus:** Pluto, god of the Underworld.
3. **vītā careo:** 'I am cut off from life'. Those who died before their time or who did not receive funeral rites were believed not to be admitted to Hades for a hundred years.
3. **per fidem:** 'through my trusting nature'.
5. **auri causā:** 'for the sake of the gold'.
10. **pax mihi est:** 'I am at peace with . . .'.
15. **Ita me Di amabunt:** 'so help me God'.
16. **percussisses:** subj. in a subordinate clause in indirect speech.

TR. Et ego—tibi hodie ut det, senex, magnum malum!
(*He unlocks the door and goes in.*)

SCENE TWO

TRANIO *enters from the house and sees* MISARGYRIDES
approaching.

TR. Nunc pol ego perii plane: danista adest. Salvere iubeo
te, Misargyrides.

MI. Salve et tu. Ubi Philolaches est?

5 TR. (*Confidentially*) Numquam potuisti mihi magis oppor-
tunus advenire.

MI. Quid est?

TR. Abi, quaeso, hinc domum.

MI. Abeam?

10 TR. Redi huc circiter meridie.

Enter THEOPROPIDES.

MI. Reddeturne igitur faenus?

TR. Reddetur; nunc abi!

TH. Quod est faenus, obsecro, quod illic petit?

TR. Huic debet Philolaches paulum.

15 TH. (*Suspiciously*) Quantum?

TR. Quadraginta minas. Dic te daturum, ut abeat.

TH. Responde mihi: quid eo argento est factum?

---

1. **Et ego:** sc. *Herculem invoco.*
2. **danista:** Plautus latinises the Greek for 'money-lender'. The
   normal Latin is *'faenerator'* from *'faenus'* 'interest'. *Misargyrides*
   means 'money-loather'.
2. **salvēre iubeo te:** 'I bid you good-day' (lit. to be well).
9. **abeam:** deliberative subj., 'I am to go away?'.
16. **minas:** the silver mina, a Greek coin, worth 100 drachmae or
    100 denarii.

TR. Salvum est.

TH. Solvite vos igitur, si salvum est.

TR. (*Hurriedly thinking up an excuse*) Aedes filius tuus emit.

TH. Aedes?

TR. Aedes. 5

TH. Euge, Philolaches iam in mercatura vertitur! Aisne tu 'aedes'?

TR. Aedes, inquam; nam postquam hae aedes ita erant, ut dixi tibi, continuo alias aedes est mercatus sibi.

MI. (*Growing impatient*) Heus! iam accedit meridies! 10

TR. Absolve hunc, quaeso, vomitum; quattuor quadraginta illi debentur minae, et sors et faenus.

TH. Adulescens, mecum rem habe.

MI. Nempe abs te petam?

TH. Pete cras. 15

MI. Abeo; sat habeo, si cras fero. (*Exit.*)

TH. Qua in regione istas aedes emit filius?

TR. (*Aside*) Ecce autem perii!

TH. (*Irritably*) Dicisne hoc quod te rogo?

TR. Dicam, sed nomen domini quaero quid sit. (*In despair*) 20
De vicino hoc proximo tuus filius emit aedes!

TH. Cupio hercle inspicere has aedes: pulta fores.

TR. At hic sunt mulieres; videndum est primum, utrum eae velint an non velint.

---

6. **in mercātūra vertitur**: 'is engaged in business'; he is pleased that his son seems to be taking life more seriously.
11. **absolve hunc vomitum**: 'pay off this revolting specimen'.
12. **sors**: capital.
13. **mecum rem habe**: 'have your dealings with me'.
16. **sat habeo, si crās fero**: 'I am satisfied if I get it tomorrow' (or 'if I am getting it').
23. **videndum est**: gerund, 'we must see'.

TH. Bonum aequumque oras. Roga. Ego hic, dum exis, opperiar. (TRANIO *goes, but meets* SIMO *coming out of his house.*)

SI. Salvus sis, Tranio.

TR. Ut vales?

5 SI. Non male. Sed quid est negoti?

TR. Eloquar. Erus peregre venit. Nunc te hoc orare iussit, ut sibi liceret inspicere has aedes tuas.

SI. Non sunt venales.

TR. Scio equidem istud; sed senex gynaeceum aedificare
10 vult hic in suis et balineas et porticum; dare vult uxorem filio—ad eam rem facere vult novum gynaeceum. Nam sibi laudavisse has ait architectonem; nunc hinc exemplum capere vult.

SI. Inspiciat, si libet. Si quidquid erit quod illi placeat, de
15 exemplo meo ipse aedificet.

TR. Eone? Voco huc hominem?

SI. I, voca. (TRANIO *returns with* THEOPROPIDES.) Salvum te advenisse peregre gaudeo, Theopropides.

TH. Di te ament.

20 SI. Inspicere has aedes te velle aiebat mihi.

---

1. **dum exis:** 'until you come out'—Plautus uses the present, but classical Latin would prefer the future here.
4. **ut vales?:** 'how are you?'
6. **peregre vēnit:** 'has come from abroad'.
6. **te hoc orare . . . :** 'he has told me to ask this of you, that he should be allowed . . .'.
8. **vēnāles:** 'for sale' (cf. *vendere*).
9. **gynaecēum:** 'women's quarters' (a feature of Greek, not Roman, houses).
10. **in suis:** sc. *aedibus*.
11. **ad eam rem:** 'for this purpose'.
12. **architectonem:** 'architect'.
14. **inspiciat:** jussive subj., 'let him have a look'.
16. **eone?:** for this use of the present indicative compare the English 'are we going?'.

TH. Nisi tibi incommodum est.

SI. Immo commodum. I intro atque inspice—qualibet perambula aedes, tamquam tuas.

TH. (*Puzzled*) 'Tamquam?'

TR. (*Hurriedly whispering to* THEOPROPIDES) Ah! cave tu illi 5
obiectes, te has emisse; non tu vides hunc, ut vultu tristi sit
senex?

SI. Eho! istum, puer, circumduce has aedes et conclavia;
nam ego ducerem, nisi mihi esset ad forum negotium.

TH. Ibo intro igitur.   10

TR. Mane! videam ne canis . . .

TH. Vide.

TR. Est. Abi! St! Abisne hinc? At etiam restas? Abi istinc!

SI. Nihil pericli est. Ire intro audacter licet. Eo ego hinc ad
forum.   15

TH. Fecisti commode; bene ambula. (*Exit* SIMO.) Tranio,
age, canem istam a foribus abducat, etsi non metuenda est.

TR. Quin tu illam inspice; ut placide accubat!

TH. Sequere hac igitur. (*Exeunt into* SIMO's *house.*)

---

2. **quālibet:** 'where you like'.
5. **cave . . . obiectes:** 'mind you don't rub it in'.
6. **vultu tristi:** abl. of description, 'with a sad face'; trans. 'how miserable-looking the old boy is'.
9. **ducerem . . .:** subj. in an implied condition, 'I should take him round . . . if I had not . . .'.
11. **videam ne canis:** jussive subj., 'let me see that the dog isn't . . .'.
14. **nihil perīcli:** partitive gen., 'no danger'.
14. **licet:** 'it is allowed', 'you may'.
17. **abdūcat:** jussive subj.
17. **metuenda:** gerundive, 'to be feared'.
18. **quīn . . .:** 'why don't you . . .'.

SCENE THREE

THEOPROPIDES *and* TRANIO *come out of* SIMO's *house.*

TH. Nunc abi rus; dic me advenisse filio.

TR. Faciam ut iubes.

TH. In urbem veniat iam simul tecum. (*Exit* TRANIO *as though to the country, in fact to enter the house by a side door. Enter* PHANISCUS *and* PINACIUM, *slaves of* CALLIDAMATES; *they go to* THEOPROPIDES' *front door and knock.*)

5

PHA. Heus! ecquis hic est? Ecquis has aperit fores?

TH. (*Aside*) Quae illa res est? Quid illi homines quaerunt apud aedes meas?

PHA. Heus, reclude! Heus, Tranio!

TH. Heus, vos pueri! Quid agitis?

PHA. Erus noster hic potat.

10 TH. (*Incredulous*) Erus vester hic potat?

PHA. Ita loquor.

TH. Puer, nemo hic habitat.

PHA. Non hic Philolaches adulescens habitat his in aedibus?

15 TH. Habitavit, verum emigravit iam diu ex his aedibus.

PHA. Erras, pater; nam nisi hinc hodie emigravit aut heri, certo scio illum hic habitare.

TH. Quin sex menses iam hic nemo habitat.

PI. Somnias!

20 TH. Egone?

PI. Tu.

---

3. **veniat**: jussive subj., 'let him come'.
18. **quin**: 'no, in fact. . . '.

TH. Nemo habitat!

PHA. Habitat profecto: nam postquam hinc peregre eius pater abiit, numquam hic triduum unum desitum est potari.

TH. Quid ais? Quis istaec faciebat?

PHA. Philolaches.   5

TH. Qui Philolaches?

PHA. Cuius patrem Theopropidem esse opinor.

TH. Puer, praeter speciem stultus es. Vide ne ad alias aedes deveneris.

PHA. Scio qua me ire oportet et quo venerim novi locum: 10
Philolaches hic habitat, cuius est pater Theopropides, qui postquam pater ad mercatum abivit hinc, tibicinam liberavit.

TH. Philolaches ergo?

PHA. Ita, Philematium quidem.   15

TH. Quanti?

PHA. Triginta minis.

TH. Liberavit?

PHA. Aio.

TH. Quid? Is emit aedes proximas?   20

PHA. Non aio.

TH. (*Realising the truth*) Hei! perdis!

PHA. Immo suum patrem perdidit.

---

3. **dēsitum est pōtari:** impersonal passive, 'drinking has stopped'.

8. **praeter speciem:** 'more than you look'.

8. **vide ne . . .:** 'perhaps you've come to the wrong house'.

10. **nōvi:** perf. of *nosco*—I have found out, i.e. I know.

16. **quanti?:** gen. of value, 'for how much?'.

22. **perdis:** sc. *me*.

TH. Vera cantas!

PHA. Vana vellem. Patris amicus es videlicet.

PI. Heus, vos! Ecquis has aperit? Alio credo abisse: abeamus nunc iam. (*Exeunt.*)

5 TH. Perii hercle; quid opus est verbis. (*Enter* SIMO.) Verum iam sciam; nam ecce eum unde aedes filius meus emit. Minas quadraginta accepisti a Philolache?

SI. Numquam, quod sciam.

TH. Quid, a Tranione servo?

10 SI. Multo id minus—te velle uxorem aiebat tuo nato dare; ideo aedificare hic velle aiebat in tuis.

TH. Hic aedificare volui?

SI. Sic dixit mihi.

TH. Hei mihi! Disperii!

15 SI. Num quid Tranio turbavit?

TH. Immo exturbavit omnia. Deludificatus est me hodie indignis modis. Nunc te obsecro ut me bene iuves.

SI. Quid vis?

TH. I mecum, obsecro, una simul.

20 SI. Fiat.

TH. Servorumque operam et lora mihi da.

---

1. **vēra cantas:** 'you're a true prophet'.
2. **vāna vellem:** potential subj., 'I could wish I were wrong'.
2. **vidēlicet:** 'clearly' (*videre licet*, you may see).
3. **aliō:** elsewhere, to another place.
3. **crēdo abisse:** sc. *eos*.
6. **ecce eum:** acc. of exclamation, 'there's the man'.
6. **unde:** 'from whom'.
8. **quod sciam:** 'as far as I know'.
11. **in tuis:** sc. *aedibus*.
15. **num quid . . .:** 'has T. caused some upset?'.
20. **fiat:** jussive subj., 'so be it'.
21. **servorum operam . . .:** 'give me the services of slaves'. He plans to have Tranio beaten.

SI. Sume. (*Exeunt into* SIMO's *house*.)

SCENE FOUR

Enter TRANIO *from* THEOPROPIDES' *house, and, almost
immediately,* THEOPROPIDES *with a party of slaves from*
SIMO'S.

TH. Euge, Tranio, quid agitur?

TR. Veniunt rure rustici: Philolaches iam hic aderit.

TH. Edepol mihi opportune advenis; nostrum hunc
vicinum opinor esse hominem audacem et malum.

TR. Quare?   5

TH. Qui negat se has aedes Philolachi vendidisse.

TR. Eho! an negavit sibi datum argentum, obsecro?

TH. Servos pollicitus est dare suos omnes mihi quaestioni.

TR. Faciendum edepol censeo; ego interim hanc aram
occupabo.   10

TH. Quid ita?

TR. Ne illi huc confugere possint quos quaestioni dabit.

TH. Surge.

TR. Minime.

TH. Surge huc: est quiddam quod tecum consulere volo. 15

TR. Sic tamen hinc consilium dedero; nimio plus sapio
sedens. Tum consilia firmiora sunt de divinis locis.

TH. Perii!

---

8. **quaestioni:** 'for questioning' sc. by torture.
9. **āram:** Tranio seeks sanctuary.
15. **quod tecum consulere volo:** 'that I want to consult you
about'.

TR. Quid tibi est?

TH. Dedisti verba!

TR. Quomodo tandem?

TH. Exempla edepol faciam in te.

5 TR. Quia placeo, exemplum expetis.

TH. Loquere! Cuiusmodi filium reliqui, cum hinc abibam?

TR. Cum pedibus, manibus, cum digitis, auribus, oculis, labris.

TH. Aliud te rogo.

10 TR. Aliud ergo tibi respondeo. Sed ecce eum tui nati sodalem video huc intrare, Callidamatem; illo praesente mecum age, si quid vis. (*Enter* CALLIDAMATES, *now sober, from* THEOPROPIDES' *house.*)

CA. Iubeo te salvere; et salvus quia advenis, Theopropides, gaudeo. (*To* TRANIO) Sed tu quid confugisti in aram?

15 TR. Adveniens perterruit me. (*To* THEOPROPIDES) Loquere nunc quid fecerim.

TH. Filium corrupisse aio te meum.

TR. Fateor peccavisse, amicam liberavisse, faenori argentum sumpsisse: num quid aliud fecit, nisi quod faciunt nati 20 summis generibus?

CA. Tace parumper; sine me vicissim loqui. Omnium primum sodalem me esse scis nato tuo. Is adiit me; nam illum prodire pudet in conspectum tuum quia quae fecit te scire scit. Nunc te obsecro stultitiae adulescentiaeque eius 25 ignoscas. Tuus est. Scis solere illam aetatem tali ludo ludere.

---

1. **quid tibi est:** 'what's up with you?'.
2. **dedisti verba:** sc. *mihi*, 'you have deceived me'.
5. **exemplum expetis:** Tranio pretends to misunderstand Theopropides' 'I'll make an example of you'.
18. **fateor peccavisse:** sc. *filium peccavisse*.
21. **sine:** from *sinere*.
23. **illum pudet:** 'he is ashamed'.
25. **ignoscas:** subj. of indirect command after *obsecro*.

Quidquid fecit, nobiscum una fecit. Nos deliquimus—
faenus, sortem omnemque sumptum nos dabimus, nos
conferemus nostro sumptu.

TH. Neque illi sum iratus neque quicquam succenseo, si
pudet fecisse sumptum.   5

CA. Pudet.

TR. Post istam veniam quid de me nunc fiet?

TH. Verberibus caederis pendens!

TR. Tamen etsi pudet?

TH. Interimam hercle, si vivo.   10

CA. Fac istam cunctam gratiam: Tranioni remitte, quaeso,
hanc noxiam causa mea.

TR. Quid gravaris? quasi non cras iam committam aliam
noxiam; tum utrumque et hoc et illud poteris ulcisci probe!

TH. Age abi, abi impune! Em! huic habe gratiam.   15
Spectatores, fabula haec est acta: vos plausum date.

---

4. **succensere:** 'to be hot under the collar'.
11. **fac . . . grātiam:** 'make your pardon complete'.
12. **causā meā:** 'for my sake'.
13. **gravari:** to object.

MILES GLORIOSUS

(*The Boastful Soldier*)

DRAMATIS PYRGOPOLYNICES, a soldier of fortune
PERSONAE ARTOTROGUS, a parasite
            PALAESTRIO and SCELEDRUS, slaves
              of Pyrgopolynices
            PERIPLECTOMENUS, an elderly gentle-
              man
            PLEUSICLES, a young Athenian
            PHILOCOMASIUM, Pleusicles' sweet-
              heart
            ACROTELEUTIUM, a young woman
            MILPHIDIPPA, her attendant
            Other slaves

The scene is a street in Ephesus, where Pyrgopolynices has rented a house next door to Periplectomenus.

SCENE ONE

Enter PYRGOPOLYNICES *from his house, with* ARTOTROGUS. *He is giving instructions to his slaves.*

PY. Curate ut splendor sit meo scuto clarior quam solis radii. Sed ubi Artotrogus est?

AR. Stat prope virum fortem atque fortunatum: Mars haud audeat comparare suas virtutes ad tuas!

PY. Quemne ego servavi in Campis Curculionieis, ubi 5

---

1. **splendor:** brightness, shine.
2. **radii:** rays.
3. **haud audeat:** 'would not dare', conditional subj.
4. **virtūtes:** 'deeds of valour'.
5. **Curculionieis:** 'Weevilly'.

29

Bumbomachides Clutomestoridysarchides erat imperator summus, Neptuni nepos?

AR. Memini: illum dicis cum armis aureis, cuius tu legiones difflavisti spiritu, quasi ventus folia.

5 PY. Istoc quidem edepol nihil est.

AR. Nihil hercle hoc quidem est prae aliis quae dicam, (*aside*) quae tu numquam fecisti. Edepol elephanto in India pugno perfregisti bracchium.

PY. Quid? Bracchium?

10 AR. 'Femur' volui dicere.

PY. Quid illud quod dico?

AR. Ehem! scio iam quod vis dicere; factum est; memini fieri.

PY. Quid id est?

15 AR. Quidquid est.—Memini centum in Cilicia et quinquaginta, centum in Scytholatronia, triginta Sardos, sexaginta Macedones quos tu occidisti uno die.

PY. Quanta istaec hominum summa est?

AR. Septem milia.

20 PY. Tantum esse oportet; recte rationem tenes.

---

1. **Bumbomachides**: 'Bumble-battler'.
1. **Clutomest.**: a meaningless jumble of Greek.
4. **difflare spiritu**: to blow apart with a breath.
7. **elephanto**: dat. of disadvantage, 'you broke an elephant's arm for it'. Artotrogus says 'arm' for 'leg', becoming a bit too careless in his lies.
8. **pugnus**: a fist.
11. **quid illud . . .?**: 'What of this . . .?'.
16. **Scytholatronia**: from '*Scythia*' (S. Russia) and '*latro*' (brigand, or mercenary).
16. **Sardos**: Sardinians.
18. **summa**: total.
20. **ratiōnem**: calculation.

AR. Quid in Cappadocia, ubi tu quingentos simul, nisi hebes gladius esset, uno ictu occidisses?

PY. Dum tale facies quale adhuc, adsiduo edes.

AR. Quid tibi ego dicam, quod omnes mortales sciunt, Pyrgopolynicem te unum in terra vivere virtute et forma et 5 factis invictissimum. Te omnes amant mulieres, neque iniuria, cum sis tam pulcher. Illae quae heri pallio me prehenderunt—

PY. Quid eae dixerunt tibi?

AR. Rogabant: 'Hicine Achilles est?' 'Immo eius frater', 10 inquam, 'est'. Ibi illarum altera, 'Ergo mecastor pulcher est', inquit; 'vide! caesaries quam decet!'

PY. Nimia miseria est nimis pulchrum esse hominem!

AR. Molestae sunt: orant, obsecrant ut videre liceat. Ad se arcessi iubent. 15

PY. Videtur tempus esse ut eamus ad forum. Nam rex Seleucus me oravit ut sibi latrones cogerem et conscriberem.

AR. Age, eamus ergo.

PY. Sequimini, satellites. (*Exeunt.*)

Enter PALAESTRIO, *from* PYRGOPOLYNICES' *house.* 20

PA. Miles, meus erus, qui hinc ad forum abiit, gloriosus, impudens, ait sese omnes mulieres sequi. Is deridiculo est omnibus. Ego haud diu apud hunc servio—erat erus Athenis mihi adulescens optimus. Is amabat mulierem, et

---

1. **nisi ... esset, occīdisses**: implied condition, 'if your sword were not blunt, you would have killed ...'.
3. **tāle ... quāle**: such ... as.
4. **quid tibi ...?**: *quid* often means 'why?'.
5. **virtūte ... invictissimum**: 'unbeaten in valour'.
10. **'Hicine'**: *hic* (originally *hice*) and *-ne*. ¯
12. **caesaries ...**: 'how becoming his hair is!'
14. **ut videre liceat**: 'that they should be allowed to see you'.
17. **Seleucus**: a name of the kings of Syria.
19. **satellites**: life-guards, escorts.
22. **deridiculo est**: 'is a butt', 'a joke' (predicative dat.).

illa illum. Is publice legatus Naupactum fuit. Interim hic
miles forte Athenas advenit, insinuat sese ad illam amicam
mei eri eamque huc invitam Ephesum advehit. Ego mihi
navem paro, ut eam rem Naupactum ad erum nuntiem.
5 Capiunt praedones navem illam ubi vectus fui; ille qui me
cepit dat me huic militi. Hic postquam in aedes me ad se
deduxit domum, video illam amicam eri. Deinde postquam
occasio est, tabellas dedi mercatori cuidam, qui ad erum
deferat, ut is huc veniat. Is non sprevit nuntium; nam et
10 venit et hic in proximo devertitur apud paternum suum
hospitem, qui nos consilio iuvat. Itaque ego paravi hic intus
magnas machinas: nam in eo conclavi quo nemo nisi ea
ipsa infert pedem ego perfodi parietem, qua commeatus
clam esset hinc huc mulieri.

Enter PERIPLECTOMENUS, *shouting to slaves within.*

15 PE. Nunc edico omnibus: quemcumque a milite hoc
hominem videritis in nostris tegulis, huc deturbate in viam.

PA. Quid agis, Periplectomene?

PE. Occisi sumus: res palam est!

PA. Quae res palam est?

20 PE. De tegulis nescioquis vestrorum familiarium inspectavit
per nostrum impluvium Philocomasium atque hospitem
osculantes.

---

1. **publice:** 'officially'.
1. **Naupactum:** acc. for motion towards (implied by *legatus*)—
   'he was an envoy to Naupactus'.
8. **qui ... deferat:** subj. for purpose.
10. **in proximo:** 'next door'.
11. **hospes:** a '*hospes*' was a friend who would give you hospitality,
    and for whom you would do the same, thus 'host' or 'guest'.
12. **māchinas:** 'device', 'scheme'.
13. **commeatus:** 'free passage'.
14. **mulieri:** dat. of advantage.
16. **tēgulis:** 'tiles'.
16. **dēturbate:** 'chase off'.
18. **occīsi sumus:** 'we are ruined'.
21. **impluvium:** the opening in the roof of a Roman atrium,
    which let in light and let out smoke; rain water was collected
    in the compluvium, a tank in the floor below.

PA. Quis homo id vidit?

PE. Nescio; ita abripuit se subito.

PA. Suspicor me perisse.

PE. Ubi abit, conclamo: 'Heus, quid agis tu', inquam, 'in tegulis'. Ille mihi abiens respondit se sequi simiam. 5

PA. Vae mihi misero! Sed Philocomasium, hicine etiam nunc est?

PE. Cum exibam, hic erat.

PA. Iube huc transire, ut eam videant domi familiares.

PE. Ego istaec, si erit hic, nuntiabo. Sed quid est, Palaestrio, 10 quod volutas tecum in corde?

PA. Paulisper tace, dum ego mihi consilia in animum convoco et dum consulo quid agam . . . Philocomasio huc sororem geminam dicam Athenis advenisse cum amatore suo, tam similem quam lac lacti est; apud te eos hic deverti 15 dicam.

PE. Euge! euge! lepide! Laudo consilium tuum.

PA. Et Philocomasio id praecipiendum est ut sciat, si exquiret ex ea miles.

PE. Sed si ambas videre in uno concilio miles volet, quid 20 agimus?

PA. Facile est. Trecentae possunt causae colligi: 'non domi est', 'abiit ambulatum', 'dormit', 'ornatur', 'lavat', 'prandet', 'potat', 'non potest'. Intro abi ergo et eam iube cito domum transire atque haec ei praecipe. 25

PE. Abeo. (*He goes back into his house.*)

---

13. **quid agam**: 'what I am to do', deliberative subj.
15. **tam similem quam . . .**: 'as like as . . .'.
18. **praecipiendum**: gerundive, 'Philocomasium must be told this'.
20. **in ūno concilio**: 'in one meeting'.
20. **quid agimus**: 'what do we do?'.
23. **ambulatum**: acc. of the supine, 'she has gone for a walk'.

Enter SCELEDRUS *from* PYRGOPOLYNICES' *house.*

PA. Quid agis, Sceledre?

SC. Metuo.

PA. Quid metuis?

SC. Nescis tu fortasse facinus quod natum est apud nos.

5 PA. Quod id est facinus?

SC. Impudicum: simiam hodie sum secutus nostram in horum tegulis; forte per impluvium despexi in proximum atque ego illic aspicio osculantem Philocomasium cum altero nescioquo adulescente.

10 PA. Abi! non veri simile dicis, neque vidisti!

SC. Vidi!

PA. Tune?

SC. Egomet, duobus his oculis meis.

PA. Dicam tibi: si falso insimulas Philocomasium, perieris.

15 SC. Quid tibi dicam, nisi quod vidi? Etiam nunc intus hic in proximo est.

PA. Eho! non domi est?

SC. Vise, abi intro.

PA. Certum est facere. (*He goes in.*)

20 SC. Hic te opperiar. Quid ego nunc faciam? Custodem me illi miles addidit. Nunc si indicium facio, interii; si taceo, interii tamen, si hoc palam fuerit.

PA. (*Returning*) Sceledre, Sceledre! quis homo in terra te est audacior? Philocomasium ecce domi!

---

7. **in proximum:** 'into next door'.
10. **vēri simile:** 'a thing like the truth', 'likely'.
14. **insimulare:** 'to accuse'.
19. **certum est:** 'it is settled', 'I am resolved . . .'.
22. **interii:** as *perii*, 'I am ruined'.
22. **palam esse:** to be known publicly.

SC. Quid, domi?

PA. Domi hercle vero.

SC. Abi, ludis me, Palaestrio!

PA. Quid nunc? Si ea domi est, si eam facio ut exire hinc
videas domo, dignusne es verberibus multis? 5

SC. Dignus.

PA. Serva istas fores, ne clam se subterducat istinc atque
huc transeat!

SC. Consilium est ita facere. (PALAESTRIO *goes back into*
PYRGOPOLYNICES' *house.*) Volo scire utrum ego id quod vidi 10
viderim an ille faciat quod facturum dicit.

Enter PALAESTRIO *with* PHILOCOMASIUM *from* PYRGOPOLY-
NICES' *house.*

PA. Quid ais tu, Sceledre? Quis illa est mulier?

SC. Pro di immortales! Philocomasium haec quidem!

PH. Ubi iste est bonus servus qui me innocentem falso
insimulavit? 15

PA. Em tibi, hic mihi id dixit!

PH. Dixistine tu te vidisse in proximo hic, sceleste, me
osculantem?

SC. Dixi hercle vero.

PH. Tune me vidisti? 20

SC. Atque his quidem oculis.

PH. Ecastor ergo mihi haud falsum evenit somnium quod
nocte hac somniavi!

PA. Quid somniavisti?

---

4. **sī eam facio . . .:** 'if I work it so that you see her . . .'.
7. **clam se subterducere:** 'to take herself off secretly'.
16. **em tibi:** 'there you are'.

PH. Eloquar: hac nocte in somnis mea soror gemina est
visa venisse Athenis in Ephesum cum suo amatore. Ei ambo
huc in proximum devertisse mihi sunt visi. Ego laeta visa,
quia soror venisset, propter eandem suspicionem maximam
5 sum visa sustinere: nam arguere me meus familiaris visus est
me cum alieno adulescentulo esse osculatam, cum illa
osculata mea soror gemina esset suum amicum.

PA. Narrandum ego id militi censebo.

PH. Facere certum est; neque me quidem patiar impune
10 esse insimulatam. (*Exit into* PYRGOPOLYNICES' *house*.)

SC. Timeo quid gesserim. Nil habeo certi quid loquar. Non
vidi eam, etsi vidi!

Enter PHILOCOMASIUM *from* PERIPLECTOMENUS' *house,
posing as her 'sister'.*

SC. Palaestrio! O Palaestrio!

PA. O Sceledre, Sceledre, quid vis?

15 SC. Haec mulier quae hinc exit modo, estne Philocomasium
an non est ea?

PA. Hercle, opinor, ea videtur.

SC. Adeamus, appellemus. Heus! quid istoc est, Philocomasium? Quid nunc taces? Tecum loquor.

20 PH. Quis tu homo es, aut quid mecum est negoti?

SC. Me rogas qui sim?

PH. Quin ego hoc rogem quod nesciam?

---

4. **propter eandem**: 'because of the same woman', 'on her
account too'.
5. **arguere**: 'to accuse'.
8. **narrandum**: gerundive, 'should be told'.
11. **nīl habeo certi**: 'I am not at all sure'.
11. **quid loquar**: 'what I am to say', deliberative subj.
18. **adeamus, appellemus**: jussive subj., 'let us approach . . .'.
20. **quid . . . est negōti**: 'what is your business?'
22. **quīn . . . rogem?**: 'why should I not ask . . .?'.

PA. Quis ego sum igitur, si hunc ignoras?

PH. Mihi odiosus es, quisquis es, et tu et hic.

SC. Non nos novisti?

PH. Neutrum.

SC. (*Getting annoyed*) Quaeris tu, mulier, malum! Tibi ego 5
dico: heus Philocomasium!

PH. Quae te amentia tenet, qui me alieno nomine appelles?

SC. Eho! quis igitur vocaris?

PH. Diceae nomen est.

SC. Mala es!   10

PH. Immo ecastor stulta, quae vobiscum loquar. Abeo.

SC. Abire non sinam te. (*He seizes her.*)

PH. Mitte.

SC. Te nusquam mittam, nisi das fidem te huc, si omisero,
intro ituram.   15

PH. Vi me cogis. Do fidem, si omittis, isto me intro ituram
quo iubes.

SC. Ecce omitto.

PH. At ego abeo missa. (*She skips off into* PERIPLECTOMENUS'
house.)   20

PA. Sceledre, manibus amisisti praedam.

SC. Quid faciam?

PA. Effer mihi gladium huc.

SC. Quid facies eo?

---

7. **qui ... appelles:** consecutive subj., 'that you call me by
   someone else's name'.
9. **Dicēae:** sc. *mihi*, 'my name is Dicea'. (Gk. for 'Goody').
11. **quae ... loquar:** causal subj., 'since I am talking ...'.
14. **dare fidem:** 'to give one's word'.

PA. Intro rumpam recta in aedes, quemque hic intus videro cum Philocomasio osculantem, eum obtruncabo extemplo.

SC. Visane est ea esse?

5 PA. Immo edepol plane ea est.

SC. Sed quomodo dissimulabat!

PA. Abi, gladium huc effer.

SC. Iam faciam ut hic sit. (*He goes into the house, to return almost at once.*) Heus, Palaestrio! Gladio nihil opus est!

10 PA. Quid est?

SC. Domi ecce Philocomasium!

PA. Quid, domi?

SC. In lecto cubat.

PA. Edepol tu tibi malam rem repperisti, qui hanc attin-
15 gere es ausus hinc e proximo. Ego abeo a te atque ero apud hunc vicinum. Tuae mihi turbae non placent. (*Exit.*)

Enter PERIPLECTOMENUS, *in mock rage.*

PE. Tune, Sceledre, hic, scelerum caput, meam ludifica-visti hospitam ante aedes modo?

SC. Vicine, audi, quaeso.

20 PE. Ego audiam te?

SC. Volo me excusare.

PE. Tune te excusabis mihi qui facinus tantum tamque indignum feceris?

---

1. **rectā:** sc. *viā*, 'straight'.
6. **dissimulare:** to pretend not to be what you are, to dissemble.
9. **nihil opus est:** 'there is no need of . . .'.
16. **tuae turbae:** 'your row', i.e. 'the row you're in'.
22. **qui . . . fēceris:** generic subj.; implying that he is the kind of man to have done it.

SC. Meruisse equidem me maximum fateor malum; sed mei eri amicam esse censui. Etiam nunc nescio quid viderim; ita est ista tua similis nostrae, si quidem non eadem est.

PE. Vise ad me intro, iam scies.

SC. Licetne? 5

PE. Quin te iubeo. (SCELEDRUS *looks in at* PERIPLECTOMENUS' *door*.)

SC. Pro di immortales! Similiorem mulierem non reor deos facere posse.

PE. Vidistine eam?

SC. Vidi et eam et hospitem complexam et osculantem. 10

PE. Eane est?

SC. Nescio.

PE. Visne scire plane?

SC. Cupio.

PE. Abi intro ad vos domum; vide sitne haec vestra intus. 15

SC. Pulchre admonuisti. Iam ego ad te exibo foras. (*Exit.*)

PE. Numquam edepol hominem quemquam ludificari magis facete vidi. Sed ecce egreditur.

SC. (*Returning*) Periplectomene, te obsecro per deos atque homines— 20

PE. Quid obsecras me?

SC. Stultitiae meae ignoscas: nam ecce Philocomasium est intus!

PE. Ignoscam tibi istoc.

---

6. **quin**: 'nay'.
15. **vide sitne**: 'see if she is . . .'.
16. **iam . . . exibo**: 'I shall come out directly'.
22. **ignoscas**: jussive subj. after *obsecras*, 'that you should forgive'.

SC. At di tibi faciant bene. Iam aliquo aufugiam, et me occultabo aliquot dies, dum hae consilescunt turbae. (*Exit.*)

PE. Ille hinc abscessit. Redeo in senatum rursus. (*Exit.*)

SCENE TWO

Enter PALAESTRIO *stealthily.*

PA. Sinite me prius prospectare ne quis aut hinc a laeva aut
5 a dextera nostro consilio adsit. Vacuus hinc prospectus usque ad ultimam plateam est. Heus! Periplectomene et Pleusicles! Progredimini!

Enter PERIPLECTOMENUS *and* PLEUSICLES.

PE. Ecce nos tibi oboedientes.

PA. Accipe a me rursus rationem doli quam institui.

10 PL. Perpurgatis ambo damus tibi operam auribus.

PA. Erus meus ita magnus amator mulierum est ut neminem fuisse aeque neque futurum credam.

PE. Credo ego idem.

PA. Isque Alexandri praestare dicit formam suam, et
15 omnes se sequi in Epheso mulieres.

PE. Ego ita esse, ut dicis, scio optime.

PA. Ecquam tu potes reperire forma lepida mulierem?

PE. Habeo illam meam clientam, adulescentulam; sed quid ea usus est?

---

1. **dī tibi faciant bene:** a wish, 'may the gods treat you well'.
4. **nē quis:** 'lest anyone'.
5. **usque ad ultimam platēam:** 'right to the end of the street'.
9. **ratiōnem doli . . . :** 'the scheme of deception which I have adopted'.
10. **perpurgātis . . . auribus:** lit. 'with our ears washed'.
14. **Alexandri praestare:** 'to surpass Alexander's'.
17. **formā lepidā:** abl. of description, 'with a nice figure'.
18. **clientam:** fem. of *cliens*, a retainer.

PA. Ut eam huc adducas ornatam matronarum modo, simuletque se tuam esse uxorem.

PL. Nescio quam insistas viam

PA. At scietis. Sed ecqua ancilla est illi?

PE. Est cata. 5

PA. Ea quoque opus est. Ita praecipe mulieri ut simulet se tuam esse uxorem et deperire hunc militem. Et ego mihi anulum dari istum tuum volo, ut militi dem.

PE. Accipe.

PA. A tua mihi uxore dicam delatum et datum ut sese ad 10 eum conciliem. Ille eius modi est—cupiet miser!

PE. Non potuit reperire, si ipsi Soli quaerendas dares, lepidiores duas ad hanc rem, quam ego!

PA. Nunc tu audi, Pleusicles.

PL. Tibi sum oboediens. 15

PA. Hoc fac: miles domum ubi advenerit, memento ne Philocomasium nomines.

PL. Quam nominem?

PA. Diceam.

PL. Nempe eandem quae dudum constituta est. 20

PA. Pax! Abi! Ego ad forum illum conveniam, atque illi hunc anulum dabo, atque praedicabo a tua uxore mihi datum esse, eamque illum deperire. (*Exeunt.*)

---

3. **insistere:** 'step on', 'start on'.
5. **cata:** 'cute'.
7. **dēperire:** 'to be dying for', 'to be madly in love with'.
11. **conciliare:** 'to win over'.
12. **quaerendas:** gerundive, 'to be looked for', trans. 'if you gave the sun himself the job of looking, he could not . . .'.
18. **quam nōminem?:** 'what am I to call her?' (deliberative subj.).

SCENE THREE

Enter PYRGOPOLYNICES *and* PALAESTRIO.

PY. Immo omnes res posteriores pono atque operam do tibi. Loquere!

PA. Circumspice ne quis nostrum sermonem exaudiat.

PY. Nemo adest.

5 PA. Hoc pignus amoris primum a me accipe.

PY. Quid hic? Unde est?

PA. A femina quae te amat, tuamque expetit pulchram pulchritudinem; eius nunc mihi anulum ancilla dedit.

PY. Nupta ea est an vidua?

10 PA. Et nupta et vidua.

PY. Quomodo potest nupta et vidua esse eadem?

PA. Quia adulescens nupta est cum sene.

PY. Euge!

PA. Lepida forma est.

15 PY. Cave mendacium!

PA. Ad tuam formam illa una digna est.

PY. Hercle pulchram praedicas. Sed quis ea est?

PA. Senis huius uxor Periplectomeni e proximo, ea deperit te, odit senem. Nunc te orare atque obsecrare iussit ut eam
20 copiam sibi facias.

PY. Quid illa faciemus quae domi est?

PA. Quin tu illam iube abs te abire quo libet, ut soror eius gemina venit Ephesum et mater arcessuntque eam.

---

5. **pignus:** 'pledge', 'token'.
16. **ad tuam formam:** 'compared with your looks'.
19. **ut eam cōpiam ...:** 'that you should give her this chance'.
     iussit: sc. *me.*   22. **quīn tu ...:** 'why don't you ...?'.
22. **quō libet:** sc. *ei,* 'where she pleases'.

PY. Advenit Ephesum mater eius?

PA. Aiunt qui sciunt.

PY. Hercle occasionem lepidam ut mulierem excludam foras!

PA. Visne tu illam statim amovere? 5

PY. Cupio.

PA. Tum te hoc facere oportet: iube sibi aurum atque ornamenta, quae illi instruxisti mulieri, dono habere auferreque abs te quo libeat sibi.

PY. Placet ut dicis. 10

Enter MILPHIDIPPA.

PA. St! tace! Aperiuntur fores; concede huc. Ancilla illius est, quae egreditur foras, quae anulum attulit quem tibi dedi.

PY. Edepol haec quidem bellula est!

PA. Simia haec est prae illa. 15

PY. Iube adire.

PA. At scisne quid tu facias? Fac te fastidii plenum quasi non libeat.

PY. Memini et praeceptis parebo. Adeat, si quid vult.

PA. Si quid vis, adi, mulier. 20

MI. Pulcher, salve!

---

3. **occāsiōnem lepidam:** acc. of exclamation, 'a lovely opportunity!'.
8. **dōnō habēre:** 'to have as a present' (predicative dat.).
10. **placet:** sc. *mihi*.
14. **bellula:** an affectionate diminutive, 'a pretty little thing'.
17. **quid tu facias:** 'what you are to do', a jussive subj.
17. **fastīdium:** scorn, pride, being choosy.
17. **quasi non libeat:** 'as if you were not pleased'—the subj. implies that of course he is.

PY. Meum cognomen commemorat! Di tibi dent quae optes!

MI. Tecum aetatem exigere ut liceat.

PY. Nimium optas.

5 MI. Non me dico, sed eram meam quae te deperit.

PY. Aliae multae idem cupiunt.

MI. Ecastor haud mirum—hominem tam pulchrum et praeclarum virtute et forma et factis!

PY. Quid nunc tibi vis, mulier? Memora.

10 MI. Ut, quae te cupit, eam ne spernas.

PY. Quid tunc vult?

MI. Te compellare et complecti. Age, mi Achilles, fiat quod te oro!

PY. At iube eam exire huc ad nos. Dic me omnia quae vult
15 facturum.

MI. Facis nunc ut facere aequum est, quod quae te vult eandem tu vis.

PY. Non edepol tu scis, mulier, quantum ego honorem nunc illi habeam.

20 MI. Scio et illi dicam.

PA. Quid hic nunc stas? Quin abis?

MI. Abeo.

PA. (*Aside to* MILPHIDIPPA) Philocomasio dic, si hic est, domum ut transeat.

---

1. **cognōmen:** family name, nick-name, title.
1. **di tibi dent:** subj. for a wish.
3. **ut liceat:** sc. *opto*, 'I wish that permission be given . . .'.
10. **ut . . . eam ne spernas:** 'that you do not spurn her'.
21. **quīn abis?:** 'why don't you go away?'.

MI. Hic cum mea era est; clam nostrum hunc sermonem exaudiverunt.

PA. Lepide factum est. (*He tries to kiss* MILPHIDIPPA.)

MI. Remoraris! Abeo!

PA. Neque te remoror neque te tango. (*Exit* MILPHIDIPPA) 5

PY. Quid nunc faciam, Palaestrio, de amica?

PA. Quid me consultas? Dixi equidem tibi: aurum atque vestem omnem habeat sibi; dic tempus esse ut eat domum; sororem geminam adesse et matrem quibus concomitata recte deveniat domum. 10

PY. Quomodo tu scis eas adesse?

PA. Quia oculis meis vidi hic sororem eius.

PY. Ubi matrem esse aiebat soror?

PA. Cubare in navi oculis turgidis nauclerus dixit qui illas advexit. 15

PY. Ibo igitur intro; tu hic ante aedes interim speculare ut ubi illa prodeat me provoces. (*Exit.*)

Enter ACROTELEUTIUM, MILPHIDIPPA *and* PLEUSICLES.

AC. Sequimini, simul circumspicite ne quis sit arbiter.

MI. Neminem pol video, nisi hunc quem volumus.

PA. Bono animo es. Negotium omne iam succedit sub 20 manus. Vos modo ut coepistis date operam: nam ipse miles abiit amicam oratum suam ut ab se abeat cum sorore et matre Athenas.

---

9. **concomitāta:** 'accompanied' (cf. *comes -itis*).
14. **nauclērus:** sea-captain, ship-owner; this is one of a number of Greek words, which are signs that Plautus has adapted his plays from the Greek drama.
20. **bonō animō es:** 'be of good courage'.
20. **succēdit sub manūs:** 'is coming under our control'.
22. **oratum:** supine of purpose.

PL. Eu, probe!

PA. Nunc hanc tibi impero provinciam.

AC. Impetrabis, imperator, quod voles.

PA. Militem lepide et facete ludificari volo.

5 AC. Voluptatem mecastor mihi imperas.

PA. Scisne quemadmodum?

AC. Nempe ut simulem me amore istius differri.

PA. Tenes; nisi hoc unum, ut has aedes dicas dotales tuas, hinc senem abs te abiisse, postquam feceris divortium, ne
10 ille mox vereatur introire in alienam domum.

AC. Bene mones.

PA. (*To* PLEUSICLES) Nunc tibi vicissim quae imperabo, ea disce. Ubi intro haec abierit, tu ilico fac ut venias huc ad nos ornatu nauclerico, et matris verbis Philocomasium arcesse
15 ut, si itura iam sit Athenas, eat tecum ad portum cito atque iubeat ferri in navim si quid imponi velit.

PL. Satis placet.

PA. Ille extemplo illam hortabitur ut eat, ut properet. Ego illi dicam ut me adiutorem roget qui onus feram ad portum.
20 Ille iubebit me ire cum illa ad portum: ego prorsus Athenas abibo tecum.

PL. Atque ubi illo veneris servire numquam te sinam.

---

1. **eu, probē!**: 'good! well done!'.
2. **prōvinciam**: a sphere of responsibility.
7. **nempe ut simulem**: sc. *imperas*.
7. **differri**: to be torn apart, distracted.
8. **tenes**: 'you've got it'.
8. **dōtāles**: 'belonging to your dowry'.
9. **dīvortium**: a separation by mutual consent.
13. **īlico** (*in loco*) 'on the spot', 'immediately'.
13. **fac ut venias**: 'see that you come'.
14. **ornātu nauclērico**: 'in a sea-captain's dress'.
19. **qui ... feram**: subj. for purpose, 'to carry'.
20. **prorsus**: 'straight on'.
22. **illō**: 'thither'.

PA. Abi cito atque orna te.

PL. Abeo. (*Exit*.)

PA. Et vos abite hinc intro; nam illum sat scio iam exiturum
esse. (*Exeunt*.) Ecce autem hilarus exit. Impetravit! (*Enter*
PYRGOPOLYNICES.)

PY. Quod volui impetravi a Philocomasio. Numquam ego 5
me tam sensi amari quam nunc ab illa muliere.

PA. Quid iam?

PY. Ut multa verba feci! Verum postremo impetravi, ut
volui; dedi ei quae voluit; te quoque ei dedi.

PA. Etiam me? Quomodo ego vivam sine te?   10

PY. Age, es bono animo!

> Enter MILPHIDIPPA *and* ACROTELEUTIUM, *who pretend not
> to notice* PYRGOPOLYNICES *and* PALAESTRIO.

PA. Sed ecce eam ipsam! Egreditur foras.

MI. Era, ecce militem!

AC. Ubi est?

MI. Ad laevam.   15

AC. Video: edepol nunc nos tempus est malas peiores fieri!

PY. Audisne quae loquitur?

PA. Audio. Quam laeta est quia ad te adiit!

AC. (*Louder*) Ergo metus me macerat quod ille fastidiosus
est, ne oculi eius sententiam mutent, ubi viderit me.   20

MI. Non faciet. Bonum animum habe!

PY. Ut ipsa se contemnit!

---

12. **ecce eam ipsam:** 'see, the woman herself!' (acc. of exclamation, as if '*vide*' were understood).

19. **mācerare:** to wear out.

22. **ut . . . contemnit!:** *ut* and indic., 'how!'.

AC. Si pol me nolet ducere uxorem, genua amplectar atque obsecrabo; si non potero impetrare, consciscam letum. Vivere sine illo scio me non posse.

PY. Prohibendam mortem video mulieri: adibone?

5 PA. Minime: nam tu te vilem feceris, si te ultro largieris.

AC. Eo intro. An tu illum evocas foras, mea Milphidippa?

MI. Immo opperiamur, dum exeat aliquis.

AC. Durare nequeo.

MI. Occlusae sunt fores.

10 AC. Effringam!

MI. Sana non es!

PA. Ut amore perdita est haec misera!

PY. Mutuum fit.

PA. Tace, ne audiat.

15 MI. Cur non pultas?

AC. Quia non est intus quem volo.

MI. Quomodo scis?

AC. Scio.

PA. Caeca amore est. (ACROTELEUTIUM *now pretends to have seen* PYRGOPOLYNICES.)

---

1. **genua amplectari:** touching a person's knees was a sign of asking a great favour; we might say 'I will go down on my knees'.
2. **consciscere lētum:** to commit suicide.
4. **prohibendam:** 'must be prevented', gerundive; *mulieri* is dat. of advantage, so trans. 'I must save the woman from death'.
5. **largiri:** to bestow.
7. **opperiamur:** jussive subj.
7. **dum exeat:** subj. for purpose.
8. **dūrare:** to endure.
13. **mūtuus:** mutual.

AC. Tene me, obsecro!

MI. Cur?

AC. Ne cadam.

MI. Quid ita?

AC. Quia astare nequeo.   5

MI. Militem pol tu aspexisti!

AC. Ita! Mea Milphidippa, adi, obsecro, et congredere!

PY. Ut me veretur!

PA. Illa ad nos pergit.

MI. Vos volo   10

PY. Et nos te.

MI. Ut iussisti, eram meam eduxi foras.

PY. Video.

MI. Iube ergo adire. Ut tremit atque extimuit, postquam
te aspexit!   15

PY. Viri quoque armati idem faciunt. Sed quid vult me
facere?

MI. Ad se ut eas. Tecum vivere vult atque aetatem exigere.

PY. Egone ad illam eam quae nupta est? Vir eius est
metuendus.   20

MI. Quin tua causa exegit virum a se!

PY. Quomodo id facere potuit?

MI. Aedes dotales huius sunt.

PY. Itane?

MI. Ita pol.   25

---

19. **ad illam eam:** deliberative subj., 'am I to go to her?'.
21. **quīn tuā causā:** 'no indeed! for your sake . . .'.

PY. Iube eam domum ire. Iam ego illic ero.

Exeunt ACROTELEUTIUM *and* MILPHIDIPPA.

Enter PLEUSICLES, *disguised as a Captain.*

PY. Sed quid ego video?

PA. Nescioquis incedit ornatu thalassico.

PL. (*At* PYRGOPOLYNICES' *door*) Heus, ecquis hic est?

5 PA. Adulescens, quid est? Quid vis?

PL. Philocomasium quaero. A matre illius venio; si itura
est, eat; omnes moratur; navim cupimus solvere.

PY. Iamdudum res parata est. I, Palaestrio! Aurum,
ornamenta, vestem, pretiosa omnia auferat; duc adiutores
10 tecum ad navim qui ferant.

PA. Eo. (*He goes in.*)

PL. Quaeso hercle, propera!

PY. Non morabitur. Ecce, exeunt.

Enter PALAESTRIO *with* PHILOCOMASIUM, *who is pretending
to cry.*

PA. Quid modi flendo hodie facies?

15 PH. Quid ego ni fleam? Ubi pulcherrime egi aetatem, inde
abeo.

PA. Em hominem qui a matre et sorore venit!

PH. Video.

PL. Philocomasium, salve!

---

3. **thalassico:** 'nautical' (a Greek word).
10. **qui ferant:** subj. for purpose.
14. **quid modi?:** 'what limit?' (partitive gen.).
14. **flendo:** gerund, 'weeping'.
15. **quid nī fleam?:** 'why shouldn't I weep?'.
15. **ubi ... inde abeo:** 'I am going away from the place
where ...'.
17. **em hominem:** acc. of exclamation.

PH. Et tu salve!

PL. Mater et soror tibi salutem me iusserunt dicere.

PH. Salvae sint.

PL. Orant te ut eas.

PH. Ibo, quamquam invita facio.   5

PY. Ah! noli flere!

PH. Nequeo, cum te video . . .

PY. Habe bonum animum.

PH. Obsecro, licet complecti, priusquam proficiscor?

PY. Licet.   10

PH. O mi ocule! O mi anime! (*She embraces* PYRGOPOLY-
NICES.)

PA. (*To* PLEUSICLES) Obsecro, tene mulierem, ne affligatur.
(PLEUSICLES *holds her closely.*)

PY. Capita inter se nimis nexa hi habent! Non placet.
Labra ab labellis aufer, nauta! Cave malum!

PL. Temptabam, spirarent necne.   15

PY. Exite atque efferte omnia quae isti dedi.

PA. Etiam nunc saluto te, Lar Familiaris, priusquam eo!
Conservi conservaeque omnes, bene valete et vivite!

PY. Age, Palaestrio, bono animo es!

PA. Nequeo quin fleam cum abs te abeam.   20

PY. Fer aequo animo.

---

2. **tibi salūtem dīcere:** 'to give you greetings'.
3. **salvae sint:** a polite reply to Pleusicles' greeting, 'may they be well', 'the same to them'.
11. **ocule, anime:** terms of endearment, 'my darling! my life!'.
12. **nē affligatur:** he pretends she is likely to faint.
15. **spīrarent:** indirect question, 'whether they were breathing'.
20. **nequeo quīn fleam:** 'I cannot help crying'.

PA. Iam vale.

PY. Et tu bene vale.

PA. Ite cito; iam ego assequar vos. (*Exeunt.*)

PY. Ante hoc factum hunc sum arbitratus semper servum
5 pessimum: eum fidelem esse mihi invenio; stulte feci qui
hunc amisi! Ibo hinc intro nunc iam ad amores meos.

Enter slave-boy from PERIPLECTOMENUS' *house.*

PUER. Ehem! te quaero. Salve, vir lepidissime! Intro te ut
eas obsecrat. Te vult, te quaerit. Amanti fer opem. Quid
stas? Quin intro is?

10 PY. Eo. (*He does so.*)

PUER. Paratae insidiae sunt. Stat senex ut adoriatur
amatorem qui omnes se amare credit. Nunc in tumultum
ibo: intus clamorem audio. (*Exit.*)

Enter PERIPLECTOMENUS *followed by* PYRGOPOLYNICES
being bundled out of the house by CARIO THE COOK *and other*
slaves.

PE. Ducite istum. Si non sequitur, rapite sublimem!

15 PY. Obsecro hercle, Periplectomene, te!

PE. Nequiquam hercle obsecras.

PY. (*Seeing* CARIO *brandish a large kitchen knife*) Perii!

CA. Iamne ego in hominem involo?

PE. Immo etiam prius verberetur fustibus.

20 CA. (*Suiting the action to the word*) Multum quidem!

PE. Cur es ausus subagitare alienam uxorem, impudens?

---

9. **quīn is?**: 'why don't you go?'.
14. **sublīmem**: 'up in the air'.
18. **iamne . . . involo?**: 'do I fly at the fellow now?'.
21. **subagitāre aliēnam uxōrem**: 'to carry on with another
man's wife'.

PY. Ita Di me ament, ultro ventum est ad me.

PE. Mentitur! Feri!

PY. Mane, dum narro!

PE. Quid cessatis?

PY. Non licet mihi dicere? 5

PE. (*Signing to the slaves to stop*) Dic!

PY. Oratus sum ut irem ad eam.

PE. Cur ire ausus es? Em tibi! (*He strikes him, and the slaves join in.*)

PY. Oiei! Satis sum verberatus. Obsecro! Viduam hercle esse censui; itaque ancilla dicebat mihi. 10

PE. Iura te nociturum esse nemini quod tu hodie hic verberatus es, si te salvum hinc mittimus.

PY. Iuro per Iovem et Mavortem me nociturum nemini.

PE. Solvite istunc.

PY. Gratiam habeo tibi. 15

PE. Eamus intro, Cario. (*As they go in,* PYRGOPOLYNICES' *slaves return from the harbour.*)

PY. Servos meos video. Philocomasium iam profecta est? (*To* SCELEDRUS) Dic mihi.

SC. Iamdudum.

PY. Hei mihi! 20

SC. Magis dicas, si scias quod ego scio; namque ille qui ornatum thalassicum habebat, nauta non erat.

---

1. **ita Dī me ament:** lit. 'so may the Gods love me'; 'as heaven's my witness'.
1. **ultrō ventum est ad me:** 'I was approached without my suggesting it'.
21. **magis dicas . . .:** implied condition, 'you would say so all the more . . .'.

PY. Quis erat igitur?

SC. Philocomasio amator.

PY. Quomodo tu scis?

SC. Scio: nam postquam porta exierunt, nihil cessaverunt
5 osculari atque amplexari inter se.

PY. Vae misero mihi! Verba mihi data esse video! Scelus
viri, Palaestrio, is me in hanc illexit fraudem! Iure factum
iudico. Eamus ad me. Plaudite!

---

4. **nihil cessaverunt:** 'they didn't stop at all'.
6. **verba dare:** to deceive.
6. **scelus viri:** 'a scoundrel of a man'.

RUDENS

(*The Rope*)

DRAMATIS PERSONAE	DAEMONES, an old Athenian, living near Cyrene SCEPARNIO, house-slave of Daemones GRIPUS, fisherman and slave of Daemones PLESIDIPPUS, a young Athenian TRACHALIO, his slave LABRAX, a slave-dealer PALAESTRA⎱ Athenian girls in the AMPELISCA⎰ possession of Labrax PTOLEMOCRATIA, priestess of the shrine of Venus Slaves and fishermen

The scene is the coast of North Africa, near Cyrene; at the back of the stage is a temple of Venus and the cottage of Daemones.

SCENE ONE

Enter SCEPARNIO *and* DAEMONES *from the cottage.*

SC. Pro Di immortales! Quantam tempestatem Neptunus nobis nocte hac misit! Detexit ventus villam!

DA. Heus, Sceparnio! Luto usus est multo; multam terram confode! Villam integendam intellego totam.

Enter PLESIDIPPUS *with attendants from the direction of the harbour.*

PL. (*To* DAEMONES) Pater, salve!   5

---

1. **prō Dī immortāles:** '*pro*' is an exclamation, 'By . . .!'.
2. **Dētēxit:** 'uncovered', 'unroofed'.
3. **lutō ūsus est:** 'there is need of clay', 'we need clay', sc. for repairing the storm-damage.
4. **integendam:** gerundive, 'must be re-roofed'.

DA. Salvus sis!

SC. Sed utrum tu vir an femina es, qui illum 'patrem' voces?

PL. Vir sum equidem.

5 SC. Quaere, vir, porro patrem!

DA. Filiolam ego unam quam habui, eam unam perdidi. Filium numquam ullum habui.

PL. At di dabunt. Sed nisi molestum est, paucis quaerere volo ex te.

10 DA. Dabitur opera, atque in negotio.

PL. Ecquem tu hic hominem crispum, incanum, malum, periurum vidisti?

DA. Plurimos, nam propter eius modi viros vivo miser.

PL. Hic dico, qui in fanum Veneris mulierculas duas secum
15 adduxit ut rem divinam faciat, aut hodie aut heri.

DA. Non hercle, adulescens, iam hos dies complures quemquam istic vidi sacrificare.

PL. (*Angrily*) Deludificavit me ille homo indignis modis!

DA. Pro Di immortales! Quid illuc est, Sceparnio, homi-
20 num secundum litus? Confracta navis in mari est illis.

SC. Ita est: at hercle nobis villa in terra!

---

1. **salvus sis:** subj. for a wish, 'may you be well', a variation on the greeting '*salve*', 'be well', 'how are you?'.
3. **voces:** causal subj., 'since you call him father'.
5. **porrō:** 'further'.
6. **fīliolam:** diminutive of '*fīlia*', 'a little daughter'.
8. **paucis:** sc. *verbis*, 'briefly'.
10. **dabitur opera . . . :** 'all right, though we're busy', lit. 'attention will be given, even in business'.
11. **crispum, incānum:** 'curly, white-headed'.
14. **mulierculas:** diminutive of *mulier*, 'little women', 'girls'.
19. **quid . . . hominum:** partitive gen., 'what people are there?'.
20. **secundum:** prep. with acc., 'along'.
21. **nobis villa in terra:** sc. *confracta est*.

PL. Ubi sunt isti homines, obsecro?

DA. Hac ad dexteram: videsne secundum litus?

PL. Video. (*To his attendants*) Sequimini. Utinam is sit quem
ego quaero, vir sacerrimus! (*Exeunt.*)

SC. Sed O Palaemon, sancte Neptuni comes, quod facinus 5
video?

DA. Quid vides?

SC. Mulierculas video sedentes in scapha duas. Ut adflictantur miserae! Euge! euge! perbene! Ab saxo avertit
fluctus ad litus scapham. Non vidisse undas me maiores 10
censeo. Salvae sunt, si illos fluctus devitaverint. Unda
eiecit alteram! At in vado est; iam facile enabit. Eugepae!
Desiluit haec autem altera ad terram e scapha. In genua in
undas concidit! Salva est! Evasit ex aqua. Iam in litore est.

DA. Quid id refert tua? Si apud me esurus es, mihi dari 15
operam volo.

SC. Bonum aequumque oras.

DA. Sequere me hac ergo.

SC. Sequor. (*Exeunt.*)

Enter PALAESTRA *who has been cast up on a different part of
the beach from her friend* AMPELISCA.

PA. Hoc deo placuit, me in incertas regiones timidam esse 20
eiectam? Hanc ego ad rem natam esse me miseram
memorabo? Sed eri scelus me sollicitat, eius impietas me
male habet. Is navem atque omnia perdidit in mari. Etiam
quae vecta mecum in scapha est, excidit. Ego nunc sola
sum. Hic saxa sunt, hic mare sonat, neque quisquam homo 25
mihi obviam venit, nec prope usquam hic quidem cultum
agrum conspicor. Algor, error, pavor me tenent.

---

3. **utinam ... sit:** subj. for a wish, 'would that he might be ...'.
4. **sacerrimus:** 'accursed'.
8. **ut adflictantur:** *ut* and indic., 'how!'.
22. **me male habet:** 'is treating me ill'. She means that the ship-
wreck was a punishment for Labrax for his wickedness.

Enter AMPELISCA; *she does not at first see* PALAESTRA.

AM. Omnia iam circumcursavi atque omnibus latebris perreptavi ut conservam voce, oculis, auribus pervestigarem, neque eam usquam invenio.

PA. Cuius vox prope hic sonat? Pertimui.

5 AM. Quis hic loquitur prope?

PA. Spes bona, obsecro, subveni mihi!

AM. Mulier est, muliebris vox mihi ad aures venit.

PA. Num Ampelisca est?

AM. Te-ne, Palaestra, audio?

10 PA. Quin voco, ut me audiat, nomine illam suo? Ampelisca!

AM. Hem! Quis est?

PA. Ego, Palaestra.

AM. Obsecro, dic, ubi es?

15 PA. Ecce me! Accede ad me.

AM. Fit sedulo.

PA. Da manum.

AM. Em, accipe.

PA. Dic, vivisne, obsecro?

20 AM. Tu facis me quidem ut nunc velim vivere, cum mihi te licet tangere. Ut vix mihi credo hoc, te tenere! Obsecro, amplectere, spes mea!

PA. Nunc abire hinc decet nos.

AM. Quo, amabo, ibimus?

---

1. **omnibus latebris:** 'in every hiding-place'.
10. **quin voco?:** 'why do I not call?'.
21. **ut vix mihi crēdo:** 'I can hardly believe it', lit. 'how scarcely do I believe myself in this'.
24. **amābo:** 'please dear', lit. 'I shall love you' (sc. if you tell me).

PA. Litus hac persequamur.

AM. Sequor quo libet.

PA. Sed quid hoc est?

AM. Quid?

PA. Fanum videsne hoc? 5

AM. Ubi est?

PA. Ad dexteram.

AM. Video.

PA. Haud longe oportet homines abesse hinc. Quisquis est
deus, veneror ut nos miseras adiuvet. 10

Enter PTOLEMOCRATIA *from the temple.*

PT. Qui sunt qui a patrona preces expetunt?

PA. Iubemus te salvere, mater.

PT. Salvete, puellae. Sed unde ire vos cum uvida veste
dicam, obsecro?

PA. Eiectae e mari sumus ambae. Nunc tibi amplectimur 15
genua, egentes opum, ut tuo recipias tecto servesque nos.

PT. Manus mihi date; exsurgite a genibus ambae; miseri-
cordior nulla est feminarum. Sed haec pauperes res sunt
inopesque, puellae. Veneri cibo meo servio.

AM. Veneris fanum, obsecro, hoc est? 20

PT. Fateor: ego huius fani sacerdos dicor Verum quidquid
est comiter fiet a me. Ite hac mecum. (*Exeunt.*)

---

1. **persequamur:** jussive subj., 'let us follow'.
9. **oportet homines . . . :** 'there must be people not far away'
13. **ūvida:** 'wet'.
15. **tibi amplectimur genua:** 'we embrace your knees',
    of asking a special favour.
19. **cibo meo:** i.e. she supplies her own food.

SCENE TWO

Enter a group of fishermen.

PISCATORES Cotidie ex urbe ad mare huc prodimus
pabulatum. Cibum capimus e mari. Si bene non evenit
neque quicquam captum est piscium, domum redimus,
dormimus incenati. Atque ut nunc valide fluctuat mare,
5 nulla nobis spes est. Nunc Venerem hanc veneremur bonam,
ut nos adiuvet hodie!

Enter TRACHALIO.

TR. Salvete, fures maritimi! Quid agitis? Ut peritis?

PI. Ut piscatorem aequum est—fame sitique speque!

TR. Ecquem adulescentem rubicundum, fortem vidistis
10 huc venire?

PI. Nullum istac facie venisse huc scimus.

TR. Ecquem senem ventriosum, fraudulentum, qui ducebat
mulierculas duas secum satis venustas?

PI. Huc profecto nemo venit. Vale! (*Exeunt.*)

15 TR. Valete. Factum est quod suspicabar: data verba ero
sunt. Is huc erum ad prandium vocavit, in navem ascendit,
mulieres avexit, abit exulatum.

Enter AMPELISCA *from the Temple, speaking to* PTOLEMO-
CRATIA *within.*

AM. Intellego: hanc quae proxima est villa Veneris fano
me pulsare iussisti atque aquam rogare.

---

2. **pabulātum:** supine of purpose, 'to forage'.
4. **incēnāti:** 'without dinner'.
4. **ut nunc . . .:** *ut* and indic., 'as'.
5. **veneremur:** jussive subj., 'let us worship'.
7. **ut peritis?:** a surprise for '*ut valetis?*', 'how do you die?'
   instead of 'how do you do?'.
8. **ut . . . aequum est:** 'as is reasonable . . .'.
9. **rubicundum:** red-faced.
12. **ventriōsum:** paunchy.
15. **verba dare:** to deceive.
17. **exulātum:** supine, 'to exile'.

TR. Estne Ampelisca haec, quae foras e fano egreditur?

AM. Estne hic Trachalio quem conspicor, servus Plesidippi?

TR. Ea est!

AM. Is est! Trachalio, salve! 5

TR. Salve, Ampelisca! Quid tu agis?

AM. Ex malis multis metuque summo capitalique ex periculo recepit ad se haec sacerdos Veneris me et Palaestram.

TR. An hic Palaestra est, eri mei amica? 10

AM. Certo.

TR. Sed periculum quod fuerit perlibet scire.

AM. Confracta est, mi Trachalio, hac nocte navis nobis.

TR. Quid, navis? Quae istaec fabula est?

AM. Non audivisti, amabo? Erus clam nos hinc auferre 15 voluit in Siciliam et quidquid domi fuit in navem imposuit; ea nunc perierunt omnia.

TR. O Neptune lepide, salve! Periurum perdidisti! Sed tu et Palaestra, quomodo salvae estis?

AM. De navi timidae ambae in scapham insiluimus, quia 20 vidimus ad saxa navem ferri. Itaque nos ventisque fluctibusque iactatae miserae perpetuam noctem; vix hodie ad litus pertulit nos ventus.

TR. Novi; Neptunus ita solet: quamvis fastidiosus aedilis est—si quae improbae sunt merces, iactat omnes! 25

---

7. **capitāli:** sc. 'danger to our lives'.
13. **confracta ... nobis:** dat. of disadvantage, 'our ship has been smashed for us'.
22. **iactatae:** sc. *sumus.* Note *-que ... -que*, like *et ... et.*
24. **quamvīs ... aedīlis:** 'he is ever such a particular aedile'. Aediles were responsible for the markets.
25. **sī quae ... merces:** 'if any goods ...'.

AM. Vae capiti tuo!

TR. Tuo est, mea Ampelisca! Sed duc me ad illam ubi est.

AM. I sane in Veneris fanum huc intro; sedentem flentem-
que opprimes.

5 TR. Sed quid flet?

AM. Ego dicam tibi. Hoc sese excruciat animi, quia erus
ademit cistulam quam ubique habebat, qua suos parentes
noscere posset. Veretur ne perierit.

TR. Ubi ea fuit cistellula?

10 AM. Ibidem in navi; conclusit ipse in vidulum, ne copia
esset ei qua suos parentes nosceret.

TR. O facinus impudicum!

AM. Et aurum et argentum fuit eri omne ibidem.

TR. Iam istoc magis usus est, ut eam intro consolerque
15 eam, ne sic se excruciet animi: nam multa praeter spem scio
multis bona evenisse. (*Exit.*)

AM. Eas. Ego quod mihi imperavit sacerdos, id faciam
atque aquam hinc de proximo rogabo. Heus, ecquis in villa
est? Ecquis hoc recludit? Ecquis prodit?

    SCEPARNIO *opens the door.*

20 SC. Quis est qui nostris tam proterve foribus facit iniuriam?

AM. Ego sum.

---

1. **vae capiti tuo:** 'devil take you', lit. 'woe on your head'.
Trachalio answers 'No, it's on yours'.
6. **animi:** 'in mind', locative.
7. **quā...posset:** subj. for purpose; so too '*qua...nosceret*'
below.
10. **cōpia:** 'opportunity'.
17. **eas:** jussive subj., 'you go!'.
18. **dē proximō:** 'from next-door'.
19. **prōdit:** from *prodeo*, not *prodo*.
20. **protervē:** 'violently'.

SC. Hem! quid hoc boni est? Eu! edepol, specie lepida mulierem!

AM. Salve, adulescens!

SC. Et tu multum salve, adulescentula!

AM. Ad vos venio. 5

SC. Accipiam hospitio, si mox venies vesperi. Sed quid ais, mea lepida? (*He tries to embrace her.*)

AM. Ah! nimium familiariter me attrectas!

SC. Pro Di immortales! Veneris effigia haec quidem est! Quid nunc vis? 10

AM. Sapienti ornatus indicium facit quid velim Haec sacerdos Veneris hinc me a vobis iussit petere aquam.

SC. At ego basilicus sum, quem nisi oras, guttam non feres!

AM. Immo etiam tibi, mea voluptas, quae voles faciam omnia. 15

SC. Eugepae! Salvus sum! Haec iam me suam voluptatem vocat. Dabitur tibi aqua, ne nequiquam me ames! Da mihi urnam.

AM. Cape. Propera.

SC. Mane. Iam hic ero, mea voluptas! (*Exit.*) 20

AM. Quid sacerdoti me dicam hic demoratum tam diu? Sed quid ego misera video procul in litore? Meum erum Siciliensemque hospitem, quos periisse ambos misera

---

1. **quid boni . . .:** partitive gen., 'what treasure have we here?'.
1. **specie lepida:** abl. of description, 'with lovely looks'.
2. **mulierem:** acc. of exclamation.
8. **attrectare:** to handle, treat.
9. **effigia:** portrait, image, effigy.
11. **sapienti ornātus.. . .:** 'To a wise man my equipment' (the pitcher) 'gives the information . . .'.
13. **basilicus:** 'the commissar'.
13. **gutta:** a drop.
20. **iam hīc ero:** '*iam*', 'presently', 'in a moment'.

censebam in mari! Sed quid ego cesso fugere in fanum ac
dicere haec Palaestrae, in aram ut confugiamus, priusquam
huc is scelestus veniat nosque hic opprimat? (*Exit.*)

SC. (*Returning with the water*) Pro Di immortales, in aqua
5 numquam credidi voluptatem inesse tantam! Ut hanc traxi
libens! Em tibi aquam, mea bella—sed ubi es? Amat hercle
me, ut ego opinor! Delituit mala! Ubi es? Etiamne hanc
urnam acceptura es? Ubi es? Tandem vero serio! Etiam
acceptura es urnam hanc? Ubi tu es gentium? Nusquam
10 hercle equidem illam video, ludos me facit. Adponam hercle
urnam iam ego hanc in media via. Sed autem quid si hanc
hinc abstulerit quispiam sacram urnam Veneris? Mihi
exhibeat negotium. Metuo hercle ne illa mulier mihi
insidias locet, ut comprehendar cum sacra urna Veneris.
15 Iam hercle evocabo hinc hanc sacerdotem foras ut hanc
accipiat urnam. Accedam huc ad fores. Heus, Ptolemocratia, cape, si vis, hanc urnam tibi; muliercula hanc
nescioquae huc ad me detulit. Intro ferenda est. Repperi
negotium, si quidem mihi his adgerenda etiam est aqua.
(*Exit into Temple.*)

SCENE THREE

Enter LABRAX *and* CHARMIDES *from the shore, shivering with
cold.*

20 LA. Edepol Neptune, es balineator frigidus! Postquam abs
te abii, al-algeo. Utinam fortuna nunc anetina ut-uterer, ut,
cum exissem ex aqu-aqu-aqua, ar-arerem tamen! Eheu,
Palaestra atque Ampelisca, ubi estis nunc?

---

2. **priusquam ... veniat:** subj. for purpose, 'before he can
come'.
6. **em tibi aquam:** acc. of exclamation, 'there's your water'.
7. **dēlituit:** perfect of '*delitescere*', 'to lie in hiding'.
9. **ubi es gentium?:** 'where in the world are you?'.
10. **lūdos me facit:** 'she is making game of me'.
13. **exhibeat:** conditional subj., 'it would give me trouble'.
18. **ferenda:** gerundive, 'it must be carried'.
20. **balineātor:** 'bath-attendant', who gave bathers a cold douche.
21. **Utinam fortūna ...:** subj. for a wish, 'I wish I had a duck's
lot ...'.
22. **ārēre:** be dry (arid).

CH. Piscibus in alto, credo, praebent pabulum.

LA. Quaenam balaena meum voravit vidulum, ubi omne aurum atque argentum compactum fuit?

CH. Eadem illa, credo, quae meum marsuppium, quod plenum argenti fuit. 5

LA. Eheu, redactus sum usque ad unam hanc tuniculam et ad hoc misellum pallium! Nunc si me adulescens Plesidippus viderit, a quo arrabonem pro Palaestra acceperam, iam is exhibebit mihi negotium.

CH. Quid, stulte, ploras? Tibi quidem edepol copia est, 10 dum lingua vivet!

Enter PLESIDIPPUS *with* TRACHALIO.

LA. Nunc pol ego perii: Plesidippus ecce adest. Salve!

PL. Salutem nil moror. Opta celeriter: rapi te obtorto collo mavis an trahi? Utrumvis opta, dum licet!

LA. Neutrum volo. 15

PL. Abi sane ad litus, Trachalio; iube illos in urbem ire obviam ad portum mihi quos mecum duxi. Post huc redi. Ego hunc scelestum in ius rapiam. Age, ambula in ius! (*Exit* TRACHALIO.)

LA. Quid ego deliqui?

PL. Rogas? Quin arrabonem a me accepisti ob mulierem et 20 eam hinc avexisti?

LA. Non avexi.

PL. Cur negas?

---

2. **quaenam bālaena voravit:** 'what whale has devoured'.
4. **marsuppium:** pouch, purse (cf. marsupial). Understand *'voravit'*.
6. **tunicula, misellum:** diminutives of *tunica* (a tunic) and *miser*.
8. **arrabo:** a deposit.
13. **Salūtem nīl moror:** 'blow your greeting'.
13. **obtorto collo:** 'by the scruff of your neck'.
20. **quīn ... accēpisti?:** 'why, did you not receive ...?'.

LA. Quia pol provexi: avehere non potui miser. Equidem tibi me dixeram praesto fore apud Veneris fanum. Num quid muto? Sumne ibi?

PL. In iure causam dic! Sequere! (*Exeunt.*)

Enter GRIPUS *pulling a chest with a rope.*

5 GR. Hoc ego in mari repperi. Quidquid inest, grave quidem est! Aurum hic ego inesse reor, nec mihi conscius est ullus homo. Nunc tibi, Gripe, haec occasio obtigit, ut liberet te praetor! Nunc sic faciam, sic consilium est. Ad erum veniam docte atque astu. Paulatim pollicebor pro capite argentum, 10 ut sim liber. Iam ubi liber ero, igitur demum mihi instruam agrum atque aedes. Navibus magnis mercaturam faciam; apud reges rex appellabor. Oppida circumvectabor. Oppidum magnum communiam: ei ego urbi Gripo indam nomen!

Enter TRACHALIO.

15 TR. Heus, mane! (*He takes hold of the rope.*)

GR. Quid maneam?

TR. Dum hanc tibi quam trahis rudentem complico.

GR. Mitte modo!

TR. At pol ego te adiuvo.

20 GR. Turbida tempestas heri fuit. Nil habeo, adulescens, piscium.

TR. Non edepol pisces expeto. Tui sermonis sum indigens.

GR. Eloquere.

---

1. **prōvexi:** 'I took her on'.
4. **in iūre:** 'in court'.
6. **mihi conscius:** 'in the know with me'.
8. **praetor:** official liberation of slaves was performed before the praetor in Rome.
9. **astū:** 'with shrewdness', 'craftily'.
9. **prō capite:** 'for my person', 'for my freedom'.
13. **Gripo:** dative, attracted into the case of *urbi*.
16. **quid maneam?:** deliberative subj., 'why am I to wait?'.
20. **nīl ... piscium:** partitive gen., 'no fish'.

TR. Audi: furtum ego vidi qui faciebat; noram dominum id cui fiebat; post ad furem ego venio feroque ei condicionem hoc modo—'Ego istoc furtum scio cui factum est; nunc mihi si vis dare dimidium, indicium domino non faciam'. Is mihi nil etiam respondit. Quid inde aequum est dari mihi? 5 Dimidium volo ut dicas.

GR. Immo hercle etiam plus.

TR. Tuo consilio faciam. Nunc adverte animum: vidulum istum cuius est novi ego hominem . . .

GR. Quid est? 10

TR. —et quomodo periit.

GR. At ego quomodo inventum est scio, et qui invenit hominem novi. Ego illum novi cuius nunc est, tu illum cuius antehac fuit.

TR. Itane vero? 15

GR. Ecquem esse dices in mari piscem meum? Quos cum capio, si quidem cepi, mei sunt.

TR. Quid ais, impudens? Ausus es etiam comparare vidulum cum piscibus?

GR. Ubi demisi rete atque hamum, quidquid haesit 20 extraho; quod meum rete atque hami nancti sunt, meum potissimum est.

TR. Immo hercle haud est. Tu quando piscatorem vidisti vidulum piscem cepisse aut protulisse ullum in forum?

GR. Quid, tu nunquam audivisti antehac vidulum esse 25 piscem?

TR. Sceleste, nullus est!

GR. Immo est profecto! Ego qui sum piscator scio. Verum raro capitur; nullus minus saepe ad terram venit.

---

2. **id cui fiebat:** dat. of disadvantage, 'on whom it was being made'.

11. **quomodo periit:** Plautus uses a relative clause, not an indirect question.

TR. Non probare pernegando mihi potes, nisi pars datur aut ad arbitrum reditur. Ecquem in his locis novisti?

GR. Oportet vicinos meos.

TR. Ubi tu habitas?

5 GR. Porro illic longe usque in campis ultimis.

TR. Visne, qui in hac villa habitat, eius arbitratu fieri?

GR. Paulisper remitte rudentem, dum concedo et consulo.

TR. Fiat.

GR. (Aside) Euge! Salva res est! Praeda haec perpetua est
10 mea: ad meum erum arbitrum vocat me!

TR. Quid igitur?

GR. Quamquam istoc esse ius meum certo scio, fiat istoc potius quam nunc pugnem tecum.

Enter DAEMONES *with* PALAESTRA *and* AMPELISCA.

DA. Ego vos salvas sistam. Nolite timere!

15 GR. O ere, salve!

DA. Salve, Gripe! Quid fit?

TR. Tuusne hic servus est?

DA. Meus est.

TR. Em! istoc optime, quando tuus est!

20 DA. Quid negoti est?

TR. Vir scelestus illic est. Vidulum habet—

GR. Non habeo!

---

1. **pernegando:** gerund, 'by denying it'.
2. **reditur:** impersonal passive, 'the matter goes to an arbitrator'.
3. **oportet:** sc. *novisse*. 'My neighbours, of course'.
8. **fiat:** jussive, 'so be it'.
12. **fiat istoc . . .:** *fiat* is jussive subj.: *pugnem* is a subj. in a comparative clause, 'let that be done rather than fight'.
14. **salvas sistam:** 'I'll see you safe'.

TR. Negas quod oculis video?

GR. At ne videas velim.

TR. Quomodo habeas, illud refert, iurene an iniuria.
Equidem ego neque partem posco mihi istinc de vidulo
neque meum esse hodie umquam dixi; sed isti inest cistellula 5
huius mulieris, quam dudum dixi fuisse liberam.

DA. Nempe tu hanc dicis?

TR. Admodum. Haec Athenis parva virgo fuit surrepta.
Cistellam inesse oportet in isto vidulo, ubi sunt signa quibus
parentes noscere haec possit suos. Eam, senex, te quaeso 10
cistellam ut iubeas hunc reddere illi. Ob eam rem si quid
postulat sibi mercedis, dabitur; aliud quidquid ibi est
habeat sibi.

GR. Nunc demum istoc dicis, quoniam ius meum esse
intellegis.   15

DA. Da modo mihi istum vidulum, Gripe.

GR. Credam tibi; at si istorum nil sit, mihi ut reddas.

DA. Reddetur.

GR. Tene.

DA. Audi nunc iam, Palaestra, hoc quod loquor. Estne hic 20
vidulus ubi cistellam tuam inesse aiebas?

PA. Is est.

GR. Perii hercle ego miser! Ut, priusquam plane aspexit,
eum esse dixit!

PA. Faciam hanc rem planam tibi. Cistellam isti inesse 25

---

2. **ne videas velim:** 'I could wish' (potential subj.) 'that you
didn't see it' (indirect command).

3. **iūrene an iniūriā:** 'whether rightly or wrongly'.

11. **sī quid . . . mercēdis:** part. gen., 'if . . . any reward'.

13. **habeat:** jussive subj., 'let him have'.

17. **mihi ut reddas:** '(see) that you give it back to me' or 'on
condition that . . .'.

23. **ut . . . dīxit:** 'how she said . . .!', 'the way she said . . .!'.

oportet in isto vidulo. Ibi ego dicam quidquid inerit nominatim; tu mihi nullum ostenderis. Si falsa dicam, frustra dixero; si vera, tum obsecro te ut mea mihi reddantur.

5 DA. Placet; ius merum oras.

TR. Hoc habet!

GR. Solutus est.

DA. Aperi.

PA. Video cistellam!

10 DA. Haecine est?

PA. Istaec est. O mei parentes, hic vos conclusos gero!

GR. Tum tibi hercle deos iratos esse oportet, quae parentes tam in angustum locum compegeris!

DA. Gripe, accede huc; tua res agitur. Tu, puella, istinc
15 procul dic quid insit et qua facie.

PA. Sunt crepundia.

DA. Ecce ea video.

GR. Perii in primo proelio!

DA. Qua facie sunt?

20 PA. Ensiculus est aureolus primum litteratus.

DA. Dic in eo ensiculo litterarum quid sit.

PA. Mei nomen patris. Post securicula est, item aurea, litterata. Ibi matris nomen in securicula est.

---

2. **ostenderis:** subj. for a prohibition.
5. **iūs merum:** 'pure justice'.
6. **hoc habet:** 'he's had it!', used for gladiatorial combat.
12. **quae . . . compēgeris:** causal subj., 'since you have crammed'.
16. **crepundia:** trinkets given to a baby when it was named.
20. **ēnsiculus:** 'little sword', a diminutive form, cf. *securicula*, 'little axe'; also *aureolus*, 'golden'.
21. **litterarum quid sit:** partitive gen., 'what letters there are'.
23. **litterata:** 'inscribed'.

DA. Mane: dic in ensiculo quid nomen sit paternum.

PA. Daemones.

DA. Di immortales, ubi sunt spes meae?

GR. Immo edepol meae?

DA. Loquere, matris nomen hic quid in securicula sit. 5

PA. Daedalis.

DA. Di me servatum cupiunt!

GR. At me perditum!

DA. Filiam meam esse hanc oportet, Gripe!

PA. Et bulla aurea est, pater quam dedit mihi natali die. 10

DA. Ea est profecto! Contineri quin complectar non possum. Filia mea, salve! Ego is sum qui te produxi pater! Ego sum Daemones, et mater tua hic intus Daedalis!

PA. Salve, mi pater insperate!

DA. Age, eamus, mea nata, ad matrem tuam! 15

PA. Eamus intro omnes. Sequere me, Ampelisca. (*Exeunt.*)

SCENE FOUR

Enter DAEMONES.

DA. Pro Di immortales, quis me est fortunatior, qui ex improviso filiam inveni meam? Et eam adulescenti dabo ingenuo Atheniensi et cognato meo. Eum ego arcessi huc ad me quam primum volo, iussique exire eius servum, ut ad 20 forum iret.

---

10. **bulla:** 'locket'.
11. **contineri quīn . . . :** 'I can't restrain myself from embracing her'.
12. **prōdūxi:** 'I begot'.
19. **ingenuo:** 'freeborn'.
19. **cognāto:** 'kinsman'.

Enter GRIPUS.

GR. Quam mox licet te compellare, Daemones?

DA. Quid est negoti, Gripe?

GR. De illo vidulo.

DA. Aequum videtur tibi ut ego quod est alienum meum
5 esse dicam?

GR. Quodne ego inveni in mari?

DA. Tanto illi melius obtigit qui perdidit.

GR. Isto tu pauper es, cum nimis sancte pius sis!

DA. Abi intro, ne molestus sis: linguae tempera. Ego tibi
10 nil daturus sum.

GR. At ego deos quaeso ut, quidquid in illo vidulo est, si
aurum, si argentum est, omne id fiat cinis! (*Exeunt.*)

Enter PLESIDIPPUS *and* TRACHALIO.

PL. Iterum mihi istaec omnia itera, mi Trachalio. Repperit
patrem Palaestra suum atque matrem?

15 TR. Repperit.

PL. Et popularis est?

TR. Opinor.

PL. Et nuptura est mihi?

TR. Suspicor.

20 PL. Censesne, hodie despondebit eam mihi?

TR. Censeo.

PL. Quid, patri etiam gratulabor cum illam invenerit?

TR. Censeo.

PL. Quid, matri eius?

---

8. **isto tu pauper es:** abl. of cause, 'because of that . . .'.
16. **populāris:** 'fellow-countrywoman'.

TR. Censeo.

PL. Etiamne eam adveniens salutem?

TR. Censeo.

PL. Etiam patrem?

TR. Censeo. 5

PL. Post, eius matrem?

TR. Censeo.

PL. Etiamne adveniens complectar eius patrem?

TR. Non censeo.

PL. Quid, matrem? 10

TR. Non censeo.

PL. Quid, eam ipsam?

TR. Non censeo.

PL. Perii! Nunc non censet, cum volo! Sanus non es.
Sequere. 15

TR. Duc me, mi patrone, quo libet. (*They go into the cottage*.)

Enter LABRAX.

LA. Quis me est mortalis miserior, quem ad reciperatores
modo damnavit Plesidippus. Abiudicata a me modo est
Palaestra; perditus sum. Nunc alteram illam quae mea est
visam huc in Veneris fanum, saltem ut eam abducam, de 20
bonis quod restat reliquiarum.

Enter GRIPUS; *he does not notice* LABRAX.

GR. Numquam edepol hodie ad vesperum Gripum

---

2. **salūtem?**: deliberative subj., 'am I to greet . . ?'
17. **reciperātōres**: lit. 'recoverers', a board of magistrates for
summary trial in property cases.
18. **damnavit**: 'has got the verdict against me'.
18. **abiūdicāta**: 'judged away from', 'taken from by law'.
20. **dē bonis . . .**: 'what is left of the remnants of my goods'.

inspicietis vivum, nisi vidulus mihi redditur. Ego qui in mari prehendi vidulum, ei dari negatis quicquam?

LA. Pro Di immortales, suo mihi hic sermone arrexit aures. Meum hercle vidulum scit qui habet, ut opinor. Adulescens, 5 salve!

GR. Di te ament!

LA. Ut vales?

GR. Quid tu? Num medicus es?

LA. Immo edepol, una littera plus sum quam medicus.

10 GR. Tum tu mendicus es!

LA. Acu tetigisti! Hac proxima nocte in mari mihi confracta est navis; perdidi quidquid erat ibi miser omne.

GR. Quid perdidisti?

LA. Vidulum cum auro atque argento multo.

15 GR. Quid dare velis qui istaec tibi investiget? Eloquere propere celeriter!

LA. Nummos trecentos.

GR. Tricas!

LA. Quadringentos.

20 GR. Tramas putidas!

LA. Quingentos.

---

6. **di te ament:** subj. for a wish, 'may the gods love you'.
7. **ut vales:** 'How are you?'.
10. **mendicus:** a beggar.
11. **acu tetigisti:** 'you've hit it', lit. 'you've touched it with a needle'.
15. **quid dare velis qui . . . :** 'what would you be willing to give to the man who . . .'.
17. **nummus:** usually the silver sesterce, but Plautus is here translating the Greek 'double drachma'.
18. **tricas:** 'trifles', 'you're trifling'.
20. **tramas putidas:** 'rot', lit. 'a rotten web'.

GR. Cassam glandem!

LA. Sescentos.

GR. Curculiunculos minutos!

LA. Dabo septingentos—mille dabo nummos.

GR. Somnias! 5

LA. Nihil addo.

GR. Abi igitur.

LA. Visne centum et mille?

GR. Dormis!

LA. Eloquere quantum postules. 10

GR. Talentum magnum.

LA. Quid istic? Necesse est, video. Dabitur talentum.

GR. Per Venerem hanc iurandum est tibi.

LA. Quid iurem?

GR. Quod iubebo. Tene aram hanc. 15

LA. Teneo.

GR. Iura te argentum mihi daturum eodem die ubi sis potitus viduli tui.

LA. Fiat.

GR. Tu hic opperire. Iam exibit senex; eum tu vidulum 20 reposce. (*He goes into the cottage.*)

GRIPUS *returns with* DAEMONES.

GR. Sequere hac. Heus tu! Em tibi, hic habet vidulum!

---

1. **cassam glandem:** 'nonsense', lit. 'an empty acorn'.
3. **curculiunculos minūtos:** 'chicken-feed', lit. 'little weevils'.
11. **talentum:** 60 minae, or 6000 drachmae. A drachma was roughly equal to a denarius, or 4 sesterces.
13. **iūrandum est tibi:** gerund, 'you must swear'.
14. **quid iūrem?:** deliberative subj., 'what am I to swear?'.

DA. Habeo et fateor esse apud me, et si tuus est, habeas tibi.

LA. O Di immortales! Meus est! Salve, vidule!

DA. Omnia insunt salva. Una istinc cistella excepta est modo cum crepundiis, quibuscum hodie filiam inveni meam.

5 LA. Quam?

DA. Quae fuit Palaestra tua, ea filia inventa est mihi.

LA. Bene mehercle factum est. Immo hercle, ut scias me gaudere, mihi triobolum ob eam ne des; condono te.

DA. Benigne edepol facis. (LABRAX *moves off with the trunk.*)

10 GR. Heus tu! Iam habes vidulum.

LA. Habeo.

GR. Propera.

LA. Quid properabo?

GR. Reddere argentum mihi.

15 LA. Neque edepol tibi do neque quicquam debeo.

GR. Quid? Non debes? Non tu iuratus es mihi?

LA. Iuratus sum, et nunc iurabo, si quid voluptati est mihi.

DA. Promisistine huic argentum?

LA. Fateor.

20 DA. Quod servo meo promisisti, meum esse oportet.

GR. Iam te ratus es nanctum hominem quem defraudares? Dandum huc argentum est. Id ego continuo huic dabo ut me emittat manu.

---

1. **habeas** jussive subj., 'have it for your own'.
8. **triōbolum**: a 3-obol piece, half a drachma (half a denarius).
8. **nē des**: subj. for a prohibition.
17. **voluptāti est mihi**: 'is my pleasure' (predicative dat.).
21. **quem dēfraudarēs**: subj. for purpose, 'to cheat'.
22. **dandum argentum est**: gerundive, 'money must be given'.
23. **ēmittere manu**: to set free.

DA. Si sapies, tacebis. Vidulum ille invenit; ille servus meus est. Ego tibi hunc servavi cum magna pecunia.

LA. Gratiam habeo et de talento nulla causa est quin feras quod isti sum iuratus.

GR. Heus tu! Mihi da, si sapis! 5

DA. Tacesne annon? (*To* LABRAX) Concede huc.

GR. Palam age! Nolo ego murmurillum neque susurrum fieri!

DA. Dic mihi, quanti illam emisti?—tuam alteram mulierculam, Ampeliscam? 10

LA. Mille nummos numeravi.

DA. Dividam talentum. Pro illa altera, libera ut sit, tibi dimidium sume. Dimidium da mihi; pro illo dimidio ego Gripum emittam manu, propter quem tu vidulum et ego natam inveni. 15

LA. Bene facis; gratiam habeo magnam.

GR. Quam mox mihi argentum ergo redditur?

DA. Res soluta est, Gripe; ego habeo.

GR. Tu hercle! At ego me malo.

DA. (*Teasing* GRIPUS) Nihil hercle hic tibi est, ne tu speres! 20

GR. Perii hercle! Nisi me suspendo, occidi!

DA. (*To* LABRAX) Hic hodie cena.

LA. Fiat; condicio placet.

DA. Sequimini intro. Spectatores, vos quoque ad cenam vocem, nisi vocatos credam vos esse ad cenam foras. 25

---

3. **nulla causa est quīn...**: 'there is no reason why you should not...'.
7. **murmurillum neque susurrum:** 'mumbling or whispering'.
11. **mille nummos:** 2000 drachmae or ⅓ of a talent.
20. **nē tu spēres!**: jussive subj., 'don't you hope for it!'
25. **vocem:** conditional subj., 'I would invite'.

Index of Proper Names

Acheruns, -untis (*m*): a river in the Underworld; the Underworld itself.

Achillēs, -is (*m*): the Greek champion in the Trojan war, the hero of Homer's *Iliad*.

Aegyptus, -i (*f*): Egypt.

Alexander, -dri (*m*): Alexander the Great.

Ampelisca, -ae (*f*): slave-girl in *Rudens*.

Athēnae, -arum (*f*): Athens.

Athēniensis, -e (*adj*): Athenian.

Bumbomachidēs, -is (*m*): see note on *Miles Gloriosus* (p. 30).

Callidamatēs, -is (*m*): young Athenian in *Mostellaria*.

Cappadocia, -ae (*f*): a kingdom in eastern Asia Minor.

Cilicia, -ae (*f*): an area in south-eastern Asia Minor.

Clutomestoridysarchidēs, -is (*m*): see note on *Miles Gloriosus* (p. 30).

Curculionieus, -a, -um (*adj*): see note on *Miles Gloriosus* (p. 29).

Delphium, -ii (*f*): girl-friend of Callidamates.

Diapontius, -ii (*m*): see note on *Mostellaria* (p. 17).

Dicēa, -ae (*f*): Philocomasium's imaginary sister.

Ephesus, -i (*f*): Greek city in western Asia Minor.

Gripus, -i (*m*): slave of Daemones.

Herculēs, -is (*m*): god of strength, and of riches.

India, -ae (*f*): India.

Iuppiter, Iovis (*m*): Jupiter, king of the gods.

Lār, -is (*m*): household god.

Macedo, -onis (*m*): a Macedonian.

Mars, Martis (*m*), or **Māvors, -ortis** (*m*): god of war.

Naupactus, -i (*f*): port on the gulf of Corinth.

Neptūnus, -i (*m*): god of the sea.

Orcus, -i (*m*): Pluto, god of the Underworld.

Palaemōn, -onis (*m*): a sea-god.

Palaestra, -ae (*f*): slave-girl in *Rudens*.

Periplectomenus, -i (*m*): an elderly senator in *Miles Gloriosus*.

Philocomasium, -ii (*f*): Pleusicles' sweet-heart.

Philolachēs, -ei (*m*) (*dat.*, **Philolachi**): son of Theopropides.

Pīraeus, -i (*m*): the port of Athens.

Plesidippus, -i (*m*): a young Athenian in *Rudens*.

Pyrgopolynices, -is (*m*): the boastful soldier.

Sardi, -ōrum (*m*): Sardinians.

Sceledrus, -i (*m*): slave of Pyrgopolynices.

Scytholatronia, -ae (*f*): see note on *Miles Gloriosus* (p. 30).

Seleucus, -i (*m*): a name of the kings of Syria.

Sicilia, -ae (*f*): Sicily.

Siciliensis, -e (*adj*): Sicilian.

Spēs, -ei (*f*): Hope, a Roman goddess.

Theopropides, -is (*m*): an elderly merchant.

Tranio, -ionis (*m*): slave in *Mostellaria*.

Venus, -eris (*f*): goddess of love.

78

Vocabulary

N.B. Some less common words are given in the Notes and are not in the Vocabulary.

ā, ab (*prep.* + *abl.*): from; by.
abdūco, -ere, -xi, -ctum (*v.a.*): lead away.
abeo, -īre, -īvi or **-ii, -itum** (*v.n.*): go away.
abripio, -ere, -ripui, -reptum (*v.a.*): snatch away.
abs: a form of *ab*, used with *te*.
abscēdo, -ere, -cessi, -cessum (*v.n.*): go away.
abstineo, -ēre, -tinui, -tentum (*v.a.*): keep away.
absum, -esse, āfui (*v.n.*): be away.
accēdo, -ere, -cessi, -cessum (*v.n.*): approach.
accido, -ere, -cidi (*v.n.*): happen.
accipio, -ere, -cēpi, -ceptum (*v.a.*): receive.
accubo, -āre (*v.n.*): recline (at table).
accumbo, -ere, -cubui, -cubitum (*v.n.*): recline (at table).
acus, -ūs, (*f.*): needle, pin.
ad (*prep.* + *acc.*): to, towards, for the purpose of.
addo, -ere, -didi, -ditum (*v.a.*): add.
addūco, -ere, -xi, -ctum (*v.a.*): bring to.
adeo, -īre, -īvi or **-ii, -itum** (*v.n.*): go to, approach.
adflicto, -āre, -āvi, -ātum (*v.a.*): toss, knock about.
adgero, -ere, -gessi, -gestum (*v.a.*): carry.
adhūc (*adv.*): so far.
adimo, -ere, -ēmi, -emptum (*v.a.*): take away.
adiūtor, -ōris (*c.*): helper.
adiuvo, -āre, -iūvi, -iūtum (*v.a.*): help.
admodum, (*adv.*): quite.

admoneo, -ēre, -ui, -itum (*v.a.*): advise.
adorior, -īri, -ortus sum (*v.a.*): attack.
adpōno, -ere, -posui, -positum (*v.a.*): put by, put down.
adsiduō (*adv.*): continuously.
adsum, -esse, -fui (*v.n.*): be present.
adulēscēns, -entis (*m*): youth, young man.
adulēscentia, -ae (*f.*): youth.
adulēscentula, -ae (*f.*): young woman, girl.
adulēscentulus, -i (*m.*): youth.
adveho, -ere, -xi, -ctum (*v.a.*): bring, convey.
advenio, -īre, -vēni, -ventum (*v.n.*): come, arrive.
adverto, -ere, -rti, -rsum (*v.a.*): (with *animum*) notice, pay attention.
aedēs, -ium (*f.*): house.
aedifico, -āre, -āvi, -ātum (*v.a.*): build.
aequus, -a, -um (*adj.*): fair equal, just, reasonable.
affero, -ferre, attuli, allātum (*v.a.*): bring to.
afflīgo -ere, -xi, -ctum (*v.a.*): knock down.
ager, agri (*m.*): field, land.
agito, -āre, -āvi, -ātum (*v.a.*): agitate, bother.
ago, -ere, ēgi, āctum (*v.a.*): do, act; (with *aetatem*) live; *age!* come!
āio (*defective verb*): say.
algeo, -ēre (*v.n.*): feel cold.
algor, -ōris (*m.*): cold.
aliēnus, -a, -um (*adj.*): belonging to another, strange.

79

aliquis, -quid (*pron.*): someone, something.

aliquō (*adv.*): to some place.

aliquot (*adj.*, indeclinable): some.

alius, -a, -ud: other.

alter, -a, -um: the other.

altum, -i (*n.*): the deep (sea).

amātor, -ōris (*c.*): lover.

ambo, -ae, -o (*adj.*): both.

ambulo, -āre, -āvi, -ātum (*v.n.*): walk.

āmentia, -ae (*f.*): madness.

amīca, -ae (*f.*): girl-friend.

amīcus, -i (*m.*): friend (as *adj.*, friendly).

amo, -āre, -āvi, -ātum (*v.a.*): love (*amābo*, I shall love you for it; please, pray).

amor, -ōris (*m.*): love; *plur.*, darling.

āmoveo, -ēre, -mōvi, -mōtum (*v.a.*): move away.

amplector, -i, -plexus sum (*v.a.*): embrace.

amplexor, -āri, -ātus sum (*v.a.*): embrace.

an (*conj.*): or? (introducing the second of two questions; the first question may be left understood).

ancilla, -ae (*f.*): maidservant.

angustus, -a, -um (*adj.*): narrow.

animus, -i (*m.*): soul, spirit, mind.

annus, -i (*m.*): year.

ante (*prep. with acc.*): before, in front of.

antehāc (*adv.*): before now, hitherto.

antīquus, -a, um (*adj.*): ancient.

ānulus, -i (*m.*): ring.

aperio, -īre, -rui, -rtum (*v.a.*): open.

appello, -āre, -āvi, -ātum (*v.a.*): call by name.

apud (*prep. + acc.*): at, with, near.

aqua, -ae (*f.*): water.

āra, -ae (*f.*): altar.

arbiter, -tri (*m.*): witness; adjudicator.

arbitrātus, -ūs (*m.*): adjudication.

arbitror, -āri, -ātus sum (*v.a.*): think.

arcesso, -ere, -cessīvi, -cessītum (*v.a.*): summon.

arcula, -ae (*f.*): small box.

āreo, -ēre (*v.n.*): be dry.

argentum, -i (*n.*): silver; money.

arma, -ōrum (*n.*): arms.

armātus, -a, -um (*adj.*): armed.

arrigo, -ere, -rēxi, -rēctum (*v.a.*): erect.

ascendo, -ere, -ndi, -nsum (*v.a.*): climb; (*asc. navem*, climb on board).

aspicio, -ere, -spexi, -spectum (*v.a.*): look at.

assequor, -i, -secūtus sum (*v.a.*): follow.

asto, -āre, astiti (*v.n.*): stand.

at (*conj.*): but.

atque (*conj.*): and.

attingo, -ere, -tigi, -tāctum: touch.

audāx, -ācis (*adj.*): bold, brazen.

audeo, -ēre, ausus sum (*v.n.*): dare.

audio, -īre, -īvi, ītum (*v.a.*): hear.

aufero, -ferre, abstuli, ablātum (*v.a.*): take away.

aufugio, -ere, -fūgi (*v.n.*): run away.

aureolus, -a, -um (*adj.*): golden.

aureus, -a, -um (*adj.*): golden.

auris, -is (*f.*): ear.

aurum, -i (*n.*): gold.

aut (*conj.*): or; (*aut . . . aut*, either . . . or).

autem (*conj.*): but, however.

āveho, -ere, -xi, -ctum (*v.a.*): carry away.

āverto, -ere, -rti, -rsum (*v.a.*): turn aside.

bālaena, -ae (*f.*): whale.

balineae, -ārum (*f.*): baths.

balineātor, -ōris (*m.*): bath-attendant.

bellus, -a, -um (*adj.*): pretty.

bene (*adv.*): well.

benignē (*adv.*): kindly.

bibo, -ere, -bi (*v.a.*): drink.

bis (*adv.*): twice.

bonus, -a, -um (*adj.*): good.

bracchium, -ii (*n.*): arm.

bulla, -ae (*f.*): locket.

cado, -ere, cecidi, cāsum (*v.n.*): fall.

caecus, -a, -um (adj.) : blind.

caedēs, is (f.) : murder.

caedo, -ere, cecīdi, caesum (v.a.) : cut, kill.

campus, -i (m.) : plain.

canis, -is (c.) : dog.

canto, -āre, -āvi, -ātum (v.a.) : sing.

capio, -ere, cēpi, captum (v.a.) : take.

capitālis, -e (adj.) : capital, endangering life.

caput, -itis (n.) : head; source.

careo, -ēre (v.n.+abl.) : be without.

causa, -ae (f.) : reason, excuse, case; (causā (abl.), for the sake of).

caveo, -ēre, cāvi, cautum (v.a.) : beware of.

celeriter (adv.) : quickly.

cēna, -ae (f.) : dinner.

cēno, -āre, -āvi, -ātum (v.n.) : dine.

cēnseo, -ēre, -ui, -nsum (v.a.) : think.

centum (adj.) : hundred.

certō (adv.) : surely.

certum est : it is decided.

cesso, -āre, -āvi, -ātum (v.n.) : delay.

cibus, -i (m.) : food.

cinis, -eris (m.) : ashes.

circiter (adv.) : about.

circumcurso, -āre (v.a.) : run around.

circumdūco, -ere, -xi, -ctum (v.a.) : lead around.

circumspicio, -ere, -spexi, -spectum (v.a.) : look round.

circumvehor, -i, -vectus sum (v.n.) : sail round.

cistella (cistellula, cistula), -ae (f.) : little box.

citō (adv.) : quickly.

clam (adv.) : secretly.

clāmo, -āre, -āvi, -ātum (v.n.) : shout.

clāmor, -ōris (m.) : shouting.

clārus, -a, -um (adj.) : bright.

clāvis, -is (f.) : key.

coepi, -isse, coeptum (v.n.) : begin.

cōgo, -ere, coēgi, coāctum (v.a.) : collect; force.

colligo, -ere, -lēgi, -lēctum (v.a.) : collect.

collum, -i (n.) : neck.

comes, -itis (c.) : comrade.

cōmiter (adv.) : courteously.

commemoro, -āre, -āvi, -ātum (v.a.) : mention.

commereo, -ēre, -ui, -itum (v.a.) : deserve.

committo, -ere, -mīsi, -missum (v.a.) : commit.

commodē (adv.) : cleverly, conveniently.

commodum, -i (n.) : convenience, advantage.

commūnio, -īre, -īvi, -ītum (v.a.) : fortify.

comparo, -āre, -āvi, -ātum (v.a.) : compare.

compello, -āre (v.a.) : address.

compingo, -ere, -pēgi, -pāctum (v.a.) : pack together, stow.

complector, -i, -plexus sum (v.a.) : embrace.

complico, -āre, -āvi, -ātum (v.a.) : fold up.

complūrēs, -ium (adj.) : several.

concēdo, -ere, -cessi, -cessum (v.n.) : withdraw.

concido, -ere, -cidi (v.n.) : fall.

conclāmo, -āre, -āvi, -ātum (v.n.) : shout out.

conclāve, -is (n.) : room.

conclūdo, -ere, -si, -sum (v.a.) : shut up.

condicio, -iōnis (f.) : terms, arrangement.

condōno, -āre, -āvi, -ātum (v.a.) : present.

condormio, -īre (v.n.) : fall asleep.

cōnfero, -ferre, -tuli, -lātum (v.a.) : contribute.

cōnfodio, -ere, -fōdi, -fossum (v.a.) : dig up.

cōnfringo, -ere, -frēgi, -frāctum (v.a.) : break.

cōnfugio, -ere, fūgi (v.n.) : flee for refuge.

congredior, -i, -gressus sum (v.n.) : meet.

cōnscrībo, -ere, -psi, -ptum (v.a.) : enrol.

cōnserva, -ae (f.), cōnservus, -i (m.) : fellow-slave.

cōnsilesco, -ere, -silui (v.n.): quieten down.

cōnsilium, -ii (n.): advice, plan.

cōnsōlor, -āri, -ātus sum (v.a.): console.

cōnspectus, -ūs (m.): sight, view.

cōnspicor, -āri, -ātus sum (v.a.): see.

cōnstituo, -ere, -ui, -ūtum (v.a.): decide.

cōnsulo, -ere, -lui, -ltum (v.a.): consult, take counsel.

cōnsulto, -āre, -āvi, -ātum (v.a.): consult.

contemno, -ere, -mpsi, -mptum (v.a.): despise.

contemplo, -āre, -āvi, -ātum (v.a.): look.

contineo, -ere, -tinui, -tentum (v.a.): hold in.

continuō (adv.): straightaway.

convenio, -īre, -vēni, -ventum (v.a.): meet.

convīva, -ae (c.): guest, feaster.

cōpia, -ae (f.): opportunity, abundance.

cor, cordis (n.): heart.

corrumpo, -ere, -rūpi, -ruptum (v.a.): corrupt.

cotīdiē (adv.): daily.

crās (adv.): tomorrow.

crēdo, -ere, -didi, -ditum (v.a.): believe.

crepundia, -orum (n.): rattle; tokens.

cubo, -āre, -ui, -itum (v.n.): lie down.

culīna, -ae (f.): kitchen.

cultus, -a, -um (adj.): cultivated.

cum (prep. + abl.): with.

cum (conj.): when, since.

cunctus, -a, -um (adj.): all.

cupio, -ere, -īvi, -ītum (v.a.): desire.

cūr (adv.): why?

cūro, -āre, -āvi, -ātum (v.a.): care for; attend to.

cursus, -ūs (m.): running.

custōdia, -ae (f.): guard, safe-keeping.

custōs, -ōdis (m.): guard.

damno, -āre, -āvi, -ātum (v.a.): condemn.

dē (prep. + abl.): from; concerning, about.

dēbeo, -ēre, -ui, -itum (v.a.): owe.

decet, -ēre, -uit (v.a.): it suits.

dēcipio, -ere, -cēpi, -ceptum (v.a.): deceive.

dēdūco, -ere, -xi, -ctum (v.a.): bring, lead.

dēfero, -ferre, -tuli, -lātum (v.a.): bring.

dēfodio, -ere, -fōdi, -fossum (v.a.): inter.

dēfraudo, -āre (v.a.): defraud.

deinde (adv.): then, next.

dēlinquo, -ere, -līqui, -lictum (v.n.): do wrong.

dēlūdifico, -āre, -āvi (v.a.): make a fool of; also Dep., deludificor.

dēmitto, -ere, -mīsi, -missum (v.a.): let down.

dēmorior, -i, -mortuus sum (v.a.): love madly.

dēmoror, -āri, -ātus sum (v.a.): delay.

dēmum (adv.): indeed.

dēpereo, -ire, -ii (v.a.): love madly.

dēpōno, -ere, -posui, -positum (v.a.): put down.

dēsero, -ere, -rui, -rtum (v.a.): desert.

dēsilio, -īre, -silui, -sultum (v.n.): jump down.

dēsisto, -ere, -stiti, -stitum (v.n.): cease.

dēspicio, -ere, -spexi, -spectum (v.a.): look down at, despise.

dēspondeo, -ēre, -spondi, -spōnsum (v.a.): betroth.

dētego, -ere, -xi, -ctum (v.a.): uncover, strip off the roof.

deus, -i (m.): god.

dēvenio, -īre, -vēni, -ventum (v.n.): come.

dēvertor, -i, -rsus sum (v.n.): put up at, stay.

dēvīto, -āre, -āvi, -ātum (v.a.): avoid.

dexter, -tera, -terum (or -tra, -trum) (adj.): right.

dīco, -ere, -xi, -ctum (v.a.): say.

diēs, -ēi (m.): day.

digitus, -i (m.): finger.

dignus, -a, -um (*adj.+abl.*): worthy.

dīmidium, -ii (*n.*): half.

disco, -ere, didici (*v.a.*): learn.

discus, -i (*m.*): discus.

dispereo, -īre, -ii (*v.n.*): perish.

diū (*adv.*): for a long time.

dīvido, -ere, -si, -sum (*v.a.*): divide.

dīvīnus, -a, -um (*adj.*): divine; *rem divinam facere*, to offer sacrifice.

do, dare, dedi, datum (*v.a.*): give.

doctē (*adv.*): cleverly.

doleo, -ēre, -ui, -itum (*v.n.*): grieve.

dominus, -i (*m.*): lord, owner.

domus, -ūs (*f.*): house.

dōnum, -i (*n.*): gift.

dormio, -īre, -īvi, -ītum (*v.n.*): sleep.

dōtālis, -e (*adj.*): of a dowry.

dūco, -ere, -xi, -ctum (*v.a.*): lead.

dūdum (*adv.*): just now, before.

dum (*conj.*): while, so long as, until.

duo, -ae, -o (*adj.*): two.

dūro, -āre, -āvi, -ātum (*v.n.*): endure.

ē, ex (*prep.+abl.*): out of, from.

ēbrius, -a, -um (*adj.*): drunk.

ēcastor (*interj.*): by Castor!

ecce (*interj.*): see! behold!

ecquis, -quid (*interrog. pron.*): anyone?

edepol (*interj.*): by Pollux!

ēdīco, -ere, -xi, -ctum (*v.a.*): declare.

edo, -ere, ēdi, ēsum (*v.a.*): eat.

ēdūco, -ere, -xi, -ctum (*v.a.*): lead out.

effero, -ferre, extuli, ēlātum (*v.a.*): carry out.

effringo, -ere, -frēgi, -frāctum (*v.a.*): break.

egeo, -ēre, -ui (*v.n.+gen.*): be in need.

ego (**egomet** emphatic form) (*pron.*): I.

ēgredior, -i, -gressus sum (*v.n.*): go out.

ehem (*interj.*): ha! (joyful surprise).

ēheu (*interj.*): ah! alas!

eho (*interj.*): ha!

ēicio, -ere, -iēci, -iectum (*v.a.*): throw out.

elephantus, -i (*m.*): elephant.

ēloquor, -i, -locūtus sum (*v.a.*): say.

em (*interj.*): there!

ēmigro, -āre, -āvi, -ātum (*v.n.*): depart, remove.

ēmitto, -ere, -si, -ssum (*v.a.*): (with *manu*) set free.

emo, emere, ēmi, ēmptum (*v.a.*): buy.

ēno, -āre, -āvi (*v.n.*): swim out.

ēnsiculus, -i (*m.*): little sword.

eo, īre, ii or **īvi, itum** (*v.n.*): go.

equidem (*adv.*): indeed.

equus, -i (*m.*): horse.

era, -ae (*f.*): mistress.

ergō (*adv.*): therefore.

erro, -āre, -āvi, -ātum (*v.n.*): wander.

error, -ōris (*m.*): wandering.

erus, -i (*m.*): master.

et (*conj.*): and.

etiam (*conj.*): also, even.

etsī (*conj.*): although.

eu (*interj.*): good!

euge, eugepae (*interj.*): good!

ēvenio, -īre, -vēni, -ventum (*v.n.*): turn out, result.

ēvoco, -āre, -āvi, -ātum (*v.a.*): call out.

ex: see under **e**.

exaudio, -īre, -īvi, -ītum (*v.a.*): overhear.

excido, -ere, -di (*v.n.*): fall out.

excipio, -ere, -cēpi, -ceptum (*v.a.*): except, take out.

exclāmo, -āre, -āvi, -ātum (*v.n.*): shout out.

exclūdo, -ere, -si, -sum (*v.a.*): shut out.

excrucio, -āre, -āvi, -ātum (*v.a.*): torture.

excūso, -āre, -āvi, -ātum (*v.a.*): excuse.

exemplum, -i (*n.*): example; copy, sketch.

exeo, -īre, -ii, -itum (*v.n.*), go out.

exhibeo, -ēre, -ui, -itum (v.a.): show.

exigo, -ere, -ēgi, -āctum (v.a.): (with aetatem) live out one's life.

existimo, -āre, -āvi, -ātum (v.a.): think.

exorno, -āre, -āvi, -ātum (v.a.): adorn.

expeto, -ere, -tīvi, -tītum (v.a.): seek.

expostulo, -āre, -āvi, -ātum (v.a.): cry out, complain.

exquiro, -ere, -quīsīvi, -quīsītum (v.a.): ask.

exsurgo, -ere, -surrēxi, -surrēctum (v.n.): get up.

extemplō (adv.): straightaway.

extimesco, -ere, -timui (v.n.): fear.

extraho, -ere, -xi, -ctum (v.a.): pull out.

exturbo, -āre, -āvi, -ātum (v.a.): cause complete confusion.

exulo, -āre, -āvi, -ātum (v.n.): to be in exile.

fābula, -ae (f.): play, story.

facētē (adv.): wittily.

faciēs, ēi (f.): appearance.

facilis, -e (adj.): easy.

facinus, -oris (n.): deed, crime.

facio, -ere, fēci, factum (v.a.): make, do.

factum, -i (n.): deed.

faenus, -oris (n.): interest.

falsō (adv.): falsely.

falsus, -a, -um (adj.): false.

famēs, -is (f.): hunger.

familiāris, -e (adj.): domestic, intimate.

fānum, -i (n.): temple, shrine.

fastīdiōsus, -a, -um (adj.): choosy.

fateor, -ēri, fassus sum (v.a.): confess.

fēmina, ae (f.): woman.

femur, -oris (n.): thigh.

ferio, -īre (v.a.): strike.

fero, ferre, tuli (tetuli), lātum (v.a.): bear, get.

fidēlis, -e (adj.): faithful.

fidēs, ei (f.): faith.

fīlia, -ae (f.): daughter.

fīlius, -ii (m.): son.

fīo, fieri, factus sum (v.n.): become, am made, am done.

firmus, -a, -um (adj.): firm, sound, strong.

fleo, flēre, -ēvi, -ētum (v.n.): weep.

fluctuo, -āre, -āvi, -ātum (v.n.): toss.

fluctus, -ūs (m.): wave.

folium, -ii (n.): leaf.

forās (adv.): out, out of doors.

forēs, um (f.): doors.

foris (adv.): outside, abroad.

forma, -ae (f.): appearance, figure.

fortasse (adv.): perhaps.

forte (adv.): by chance.

fortis, -e (adj.): brave.

fortūna, -ae (f.): luck, lot.

fortūnātus, -a, -um (adj.): lucky, blessed.

forum, -i (n.): market-place, forum.

frāter, -tris (m.): brother.

fraudulentus, -a, -um (adj.): fraudulent.

fraus, -dis (f.): fraud, deception.

frīgidus, -a, -um (adj.): cold.

frūstrā (adv.): in vain.

fugio, -ere, fūgi, fugitum (v.n.): flee.

fūr, fūris (c.): thief.

fūrtum, -i (n.): theft.

fūstis, -is (m.): club.

gaudeo, -ēre, gāvīsus sum (v.n.): rejoice.

geminus, -a, -um (adj.): twin.

gēns, gentis (f.): race, clan; ubi gentium? where in the world?

genū, -ūs (n.): knee.

genus, -eris (n.): race, family.

gero, -ere, gessi, gestum (v.a.): carry, wear; do.

gladius, -ii (m.): sword.

glōriōsus, -a, -um (adj.): boastful.

grātia, -ae (f.): thanks, condescension, kindness.

grātulor, -āri, -ātus sum (v.a. + dat.): congratulate.

gravis, -e (adj.): heavy.

gravor, -āri, -ātus sum (v.n.): be annoyed, object.

habeo, -ēre, -ui, -itum (*v.a.*): have.

habito, -āre, -āvi, -ātum (*v.a.*): live in.

hāc (*adv.*): this way.

haereo, -ēre, -si, -sum (*v.n.*): stick, be caught.

hāmus, -i (*m.*): hook.

hasta, -ae (*f.*): spear.

haud (*adv.*): not.

hei (*interj.*): oh!

hem (*interj.*): hah! (surprise, joy).

hercle (*interj.*): by Hercules!

herī (*adv.*): yesterday.

heus (*interj.*): hoy!

hic, haec, hoc (*pron.*): this.

hīc (*adv.*): here.

hilarus, -a, -um (*adj.*): happy.

hinc (*adv.*): hence.

hodiē (*adv.*): today.

homo, hominis (*c.*): man.

honor, -ōris (*m.*): honour, respect.

hortor, -āri, -ātus sum (*v.a.*): encourage.

hospes, -itis (*c.*): guest, host.

hospita, -ae (*f.*): female guest.

hospitium, -ii (*n.*): hospitality.

hūc (*adv.*): hither.

iacto, -āre (*v.a.*): throw about, toss.

iam (*adv.*): now; immediately; already.

iamdūdum (*adv.*): long since.

iānua, -ae (*f.*): door.

ibi (*adv.*): there.

ibīdem (*adv.*): in the same place.

ictus, -ūs (*m.*): blow.

īdem, eadem, idem (*pron.*): the same.

ideō (*adv.*): for that reason.

igitur (*conj.*): therefore.

ignōro, -āre, -āvi, -ātum (*v.a.*): do not know.

ignōsco, -ere, -nōvi, -nōtum (*v.a.*): pardon.

īlico (*adv.*): immediately.

ille, illa, illud (*pron.*): that.

illīc (*adv.*): there.

illicio, -ere, -lexi, -lectum (*v.a.*): entice.

illinc (*adv.*): thence.

illūc (*adv.*): thither.

immo (*adv.*): nay, on the contrary.

immortālis, -e (*adj.*): immortal.

imperātor, -ōris (*m.*): commander, general.

impero, -āre, -āvi, -ātum (*v.a.*): command.

impetro, -āre, -āvi, -ātum (*v.a.*): get by asking.

impluvium, -ii (*n.*): sky-light, impluvium.

impōno, -ere, -posui, -positum (*v.a.*): put on.

imprōvīsō (de) (*adv.*): unexpectedly.

impudēns, -entis (*adj.*): cheeky, impudent.

impudīcus, -a, -um (*adj.*): shameless.

impūne (*adv.*): scot-free, unpunished.

in (*prep.*+*acc.*): to, into; with *abl.*, in, on.

incēdo, -ere, -cessi, -cessum (*v.n.*): go in.

incertus, -a, -um (*adj.*): uncertain.

incommodum, -i (*n.*): disadvantage, inconvenience.

inde (*adv.*): thence.

indicium, -ii (*n.*): evidence, information.

indigēns, -entis (*adj.*): needy (+*gen.*).

indignus, -a, -um (*adj.*), unworthy.

indo, -ere, -didi, -ditum (*v.a.*): give to.

īnfero, -ferre, -tuli, illātum (*v.a.*): bring in.

iniūriā (*adv.*): wrongly.

iniūria, -ae (*f.*): wrong.

innocēns, -entis (*adj.*): innocent.

inops, -opis (*adj.*): poor.

inquam (*defective verb*): I say.

īnsānus, -a, -um (*adj.*): insane.

īnsepultus, -a, -um (*adj.*): unburied.

īnsidiae, -arum (*f.*): ambush.

īnsilio, -īre, -lui, -ultum (*v.n.*): jump in.

īnsimulo, -āre, -āvi, -ātum (*v.a.*): accuse.

īnsinuo, -āre, -āvi, -ātum (*v.a.*): (*se*) work one's way into.

inspecto, -āre, -āvi, -ātum (*v.a.*): look into, at.

insperātus, -a, -um (*adj.*): unhoped for.

inspicio, -ere, -spexi, -spectum (*v.a.*): look into, at.

instruo -ere -xi -ctum (*v.a*)*:* equip, provide.

insum, -esse, -fui (*v.n.*): be in.

intego, -ere, -xi, -ctum (*v.a.*): cover over.

intellego, -ere, -ēxi, -ēctum (*v.a.*): understand.

inter (*prep.+acc.*): between.

interim (*adv.*): meanwhile.

interimo, -ere, -ēmi, -ēmptum (*v.a.*): kill.

intrō (*adv.*): inside.

intro, -āre, -āvi, -ātum (*v.a.*): enter

intus (*adv.*): inside.

invenio, -īre, -vēni, -ventum (*v.a.*): find.

investīgo, -āre, -āvi, -ātum (*v.a.*)*:* track down.

invictus, -a, -um (*adj.*): unconquered.

invītus, -a, -um (*adj.*): unwilling.

invoco, -āre, -āvi, -ātum (*v.a.*): call upon.

ipse, -a, -um (*pron.*): self.

īrāscor, -i, īrātus sum (*v.n.*): be angry.

īrātus, -a, -um (*adj.*): angry.

is, ea, id (*pron.*): this, that.

iste, -a, -ud (*pron.*): that.

istīc (*adv.*): there.

istinc (*adv.*): thence.

istō (*adv.*): thither.

ita (*adv.*): thus, so.

itaque (*conj.*): and so, therefore.

item (*adv.*): likewise.

itero, -āre, -āvi, -ātum (*v.a.*): repeat.

iterum (*adv.*): again.

iubeo, -ere, iussi, iussum (*v.a.*): order.

iūdico, -āre, -āvi, -ātum (*v.a.*): judge.

iūre (*adv.*): rightly.

iūro, -āre, -āvi, -ātum (*v.a.*): swear.

iūror, -āri, -ātus sum (*v.a.*): swear.

iūs, iūris (*n.*): justice, right.

iuvo, -āre, -iūvi, -iūtum (*v.a.*): help.

labellum, -i (*n.*): lip.

labor, -ōris (*m.*): labour.

labrum, -i (*n.*): lip.

lac, lactis (*n.*): milk.

laetus, -a, -um (*adj.*): happy.

laevus, -a, -um (*adj.*): left.

lār, -is (*m.*): household god.

latebra, -ae (*f.*): hiding-place.

lateo, -ēre, -ui (*v.n.*): lie hidden.

latro, -ōnis, (*m.*): brigand, mercenary.

laudo, -āre, -āvi, -ātum (*v.a.*): praise.

lavo, -āre, lāvi, lautum (*v.a.*): wash.

lectus, -i (*m.*): bed.

lēgātus, -i (*m.*): envoy.

legio, -iōnis (*f.*): legion.

lepidus, -a, -um (*adj.*): pleasant, charming.

lētum, -i (*n.*): death.

levo, -āre, -āvi, -ātum (*v.a.*): lift up, relieve.

libēns, -entis (*adj.*): willing.

libenter (*adv.*): willingly.

liber, -era, -erum (*adj.*): free.

lībero, -āre, -āvi, -ātum (*v.a.*): set free.

libet, -ēre, -uit (*v.n.*): it gives pleasure.

licet, -ēre, -uit (*v.n.*): it is allowed, possible.

lingua, -ae (*f.*): tongue.

littera, -ae (*f.*): letter.

litterātus, -a, -um (*adj.*): inscribed.

lītus, -oris (*n.*): shore.

loco, -āre, -āvi, -ātum (*v.a.*): place.

locuplēs, -ētis (*adj.*): rich.

locus, -i (*m.*): place.

longē (*adv.*): far.

loquor, -i, locūtus sum (*v.a.*): speak.

lōra, -orum (*n.*): whip, straps.

lūdifico, -āre, -āvi, -ātum (*v.a.*): make game of.

lūdo, -ere, -si, -sum (*v.a.*), play mock, delude.

lūdus, -i (*m.*): game.

lutum, -i (*n.*): mud.

magis (*adv.*): more.

magnus, -a, -um (*adj.*): big.

mālo, mālle, mālui (*v.a.*): prefer.

malum, -i (*n.*): evil, trouble.

malus, -a, -um (*adj.*): bad.

mando, -āre, -āvi, -ātum (*v.a.*): entrust, commission.

maneo, -ēre, -nsi, -nsum (*v.n.*): stay, wait.

manus, -ūs (*f.*): hand.

mare, -is (*n.*): sea.

maritimus, -a, -um (*adj.*): sea, maritime.

marsuppium, -ii (*n.*): purse, pouch.

māter, -tris (*f.*): mother.

mātrōna, -ae (*f.*): lady, married woman.

mecastor (*interj.*): by Castor!

medicus, -i (*m.*): doctor.

medius, -a, -um (*adj.*): mid, middle.

mehercle (*interj.*): by Hercules.

memini, -isse (*v.n.*): remember.

memoro, -āre, -āvi, -ātum (*v.a.*): mention.

mendācium, -ii (*n.*): lie.

mēns, -ntis (*f.*): mind.

mēnsis, -is (*m.*): month.

mēnsula, -ae (*f.*): small table.

mentior, īri, -ītus sum (*v.n.*): lie.

mercātor, -ōris (*m.*): merchant.

mercātūra, -ae (*f.*): trading, business.

mercātus, -ūs (*m.*): trading.

mercor, -āri, -ātus sum (*v.a.*): buy.

mereo, -ēre, -ui, -itum (*v.a.*): deserve.

merīdiēs, -ēi (*m.*): midday.

metuo, -ere, -ui, -ūtum (*v.a.*): fear.

metus, -ūs (*m.*): fear.

meus, -a, -um (*adj.*): my.

mīles, -itis (*m.*): soldier.

mīlle (*adj.*): a thousand, (*plur. mīlia, -ium*).

minimē (*adv.*): not at all.

minus (*adv.*): less.

mīrus, -a, -um (*adj.*): remarkable, surprising.

miser, -era, -erum (*adj.*): miserable.

miseria, -ae (*f.*): misery.

misericors, -rdis (*adj.*): softhearted.

mitto, -ere, mīsi, missum (*v.a.*): send, let go.

modestia, -ae (*f.*): self-control.

modo (*adv.*): only, just now.

modus, -i (*m.*): way, fashion, limit.

molestus, -a, -um (*adj.*): troublesome.

moneo, -ēre, -ui, -itum (*v.a.*): advise, warn.

mōnstrum, -i (*n.*): portent.

moror, -āri, -ātus sum (*v.a*): delay, delay over.

mors, -rtis (*f.*): death.

mortālis, -e (*adj.*): mortal.

mortuus, -a, -um (*adj.*): dead.

mox (*adv.*): soon.

muliebris, -e (*adj.*): female.

mulier, -is (*f.*): woman.

muliercula, -ae (*f.*): little woman, girl.

multus, -a, -um (*adj.*): much (*multō, adv.*).

murmurillum, -i (*n.*): murmuring.

mūto, -āre, -āvi, -ātum (*v.a.*): change.

muttio, -īre (*v.n.*): mutter.

mūtuus, -a, -um (*adj.*): mutual.

nam (namque) (*conj.*): for.

nanciscor, -i, nanctus sum (*v.a.*): get, obtain.

nārro, -āre, -āvi, -ātum (*v.a.*): tell, relate.

nāscor, -i, nātus sum (*v.n.*): be born, come to be.

nāta, -ae (*f.*), nātus, -i (*m.*): daughter, son.

nātālis, -e (*adj.*): natal, birth-(day).

nauclēricus, -a, -um (*adj.*): of a skipper.

nauclērus, -i (*m.*): skipper.

nauta, -ae (*m.*): sailor.

nāvis, -is (*f.*): ship.

nē (*conj.*): lest.

-ne: *interrogative particle.*

necesse (*adj.*): necessary.

neco, -āre, āvi, -ātum (v.a.): kill.

nego, -āre, -āvi, -ātum (*v.a.*): deny.

negōtium, -ii (*n.*): business, trouble; *quid est negōtii?*, what's the trouble?

nēmo (*c., pron.*): no one.

nempe (*conj.*): surely.

nepōs, -ōtis (*m.*): grandson.

neque (*conj.*): and not, nor.

nequeo, -īre, -īvi, itum (*v.n.*): be unable.

nēquiquam (*adv.*): in vain.

nescio, -īre, -īvi, -ītum (*v.a.*): not know.

nescioquis, -quid (*pron.*): someone, something.

neuter, -tra, -trum (*adj.*): neither.

nexus, -a, -um (*adj.*): intertwined.

nī, nisi (*conj.*): unless, except.

nihil, nīl (*n.*): nothing.

nimis (*adv.*): too much.

nimius, -a, -um (*adj.*), **nimium** (*adv.*): too much.

noceo, -ēre, -ui, -itum (*v.n.*+ *dat.*): do harm to.

nōlo, nōlle, nōlui (*v.n.*): be unwilling.

nōmen, -inis (*n.*): name.

nōminātim (*adv.*): by name.

nōmino, -āre, -āvi, -ātum (*v.a.*): name.

nōn (*adv.*): not.

nōsco, -ere, nōvi, nōtum (*v.a.*): get to know (*novi*, I know).

noster, -tra, -trum (*adj.*): our.

novus, -a, -um (*adj.*): new.

nox, -ctis (*f.*): night.

noxia, -ae (*f.*): harm, offence.

nūbo, -ere, -psi, -ptum (*v.n.*): be married (of a woman to a man).

nūllus, -a, -um (*adj.*): no.

num (*interrogative particle*): surely not?

numero, -āre, -āvi, -ātum (*v.a.*): count; count out, pay.

nummus, -i (*m.*): coin; a sesterce.

numquam (*adv.*): never.

nunc (*adv.*): now.

nuntio, -āre, -āvi, -ātum (*v.a.*): announce.

nusquam (*adv.*): nowhere.

ob (*prep.*+ *acc.*): because of.

obiecto, -āre, -āvi, -ātum (*v.a.*): throw in the teeth.

oboediēns, -ntis (*adj.*): obedient.

obsecro, -āre, -āvi, -ātum (*v.a.*): ask, beg.

obtingit, -ere, -tigit (*v.n.*), befall.

obtorqueo, -ēre, -rsi, -rtum (*v.a.*): twist round.

obtrunco, -āre, -āvi, -ātum (*v.a.*): cut down.

obviam eo, īre, īvi, itum (*v.n.*+ *dat.*): go to meet.

occāsio, -iōnis (*f.*): opportunity.

occido, -ere, -cidi, -cāsum (*v.n.*): fall, be ruined.

occīdo, -ere, -cīdi, -cīsum (*v.a.*): kill.

occlūdo, -ere, -si, -sum (*v.a.*): shut.

occulto, -āre, -āvi, -ātum (*v.a.*): hide.

occupo, -āre, -āvi, -ātum (*v.a.*): seize, occupy.

ocellus, -i (*m.*): eye (dimin. of *oculus*).

oculus, -i (*m.*): eye.

ōdi, -isse (*v.a.*): hate.

odiōsus, -a, -um (*adj.*): hateful.

offendo, -ere, -ndi, -nsum (*v.a.*): come upon.

officium, -ii (*n.*): duty.

omitto, -ere, -mīsi, -missum (*v.a.*): let go.

omnis, -e (*adj.*): all.

onus, -eris (*n.*): burden.

opem, -is (*f.*): help; *plur.*, resources.

opera, -ae (*f.*): help, service; *operam dare*, take trouble with, pay attention.

opīnor, -āri, -ātus sum (*v.a.*): think.

oportet, -ēre, -uit (*v.a.*): it behoves, is proper, necessary.

opperior, -īri (*v.a.*): wait (for).

oppidum, -i (*n.*): town.

opportūnus, -a, -um (*adj.*): opportune.

opprimo, -ere, -pressi, -pressum (*v.a.*): come upon; overwhelm.

opto, -āre, -āvi, -ātum (*v.a.*): wish for, choose.

opus est (+ *abl.*), there is need of.

ornāmenta, -orum (n.): ornaments.

ornātus, ūs (m.): dress, equipment.

orno, -āre, -āvi, -ātum (v.a.): adorn.

ōro, -āre, -āvi, -ātum (v.a.): ask.

ōsculor, -āri, -ātus sum (v.a.): kiss.

ostendo, -ere, -ndi, -nsum (v.a.): show.

ostium, -ii (n.): door.

pābulor, -āri, -ātus sum (v.n.): forage, get fodder.

pābulum, -i (n.): fodder.

paene (adv.): almost.

palam (adv.): openly; palam esse, to be public.

palla, -ae (f.): dress, robe.

pallium, -ii (n.): cloak.

parēns, -ntis (c.): parent.

pāreo, -ēre, -ui (v.n. + dat.): obey.

pariēs, -etis (m.): wall.

paro, -āre, -āvi, -ātum (v.a.): prepare, obtain.

pars, -rtis (f.): part.

parumper (adv.): for a short time.

parvus, -a, -um (adj.): small.

pater, -tris (m.): father.

paternus, -a, -um (adj.): father's.

patior, -i, passus sum (v.a.): suffer, endure.

patrōna, -ae (f.), patrōnus, -i (m.): patroness; patron.

pauci, -ae, -a (adj.): few.

paulisper (adv.): for a short time.

paulum (adv.): a little.

pauper, -eris (adj.): poor.

pavor, -ōris (m.): fear.

pāx, pācis (f.): peace.

pecco, -āre, -āvi, -ātum (v.n.): sin.

pecūnia, -ae (f.): money.

pendeo, -ēre, pependi (v.n.): hang.

per (prep. + acc.), through; (with oaths) by.

perambulo, -āre (v.a.): walk through.

perbene (adv.): very well.

percutio, -ere, -cussi, -cussum (v.a.): strike.

perdo, -ere, -didi, -ditum (v.a.): ruin, waste, lose, destroy.

peregre (adv.): abroad.

pereo, -īre, -ii, -itum (v.n.): perish, be lost.

perfero, -ferre, -tuli, -lātum (v.a.): carry to.

perfodio, -ere, -fōdi, -fossum (v.a.): dig through.

perfringo, -ere, -frēgi, -frāctum (v.a.): break through.

pergo, -ere, perrēxi, perrēctum (v.n.): go forward.

perīculum, -i (n.): danger.

periūrus, -a, -um (adj.): perjured.

perlibet, -ēre, -uit (v.n.): it is very desirable.

pernego, -āre, -āvi, -ātum (v.a.): go on denying.

perpetuus, -a, -um (adj.): perpetual, continuous.

perpurgātus, -a, -um (adj.): thoroughly washed.

perrepto, -āre, -āvi, -ātum (v.a.): creep through.

persequor, -i, -secūtus sum (v.a.): follow.

pertimesco, -ere, -timui (v.n.): fear.

pervestīgo, -āre, -āvi, -ātum (v.a.): trace.

pēs, pedis (m.): foot; pedem inferre, advance.

peto, -ere, petīvi, petītum (v.a.): seek.

pila, -ae (f.): ball.

piscātor, -ōris (m.): fisherman.

piscis, -is (m.): fish.

pius, -a, -um (adj.): good, dutiful.

placeo, -ēre, -ui, -itum (v.n.): please.

placidē (adv.): quietly.

plānus, -a, -um (adj.): plain, definite.

platēa, -ae (f.): street.

plaudo, -ere, -si, -sum (v.n.): applaud.

plausus, -ūs (m.): applause.

plēnus, -a, -um (adj.): full.

plōro, -āre, -āvi, -ātum (v.n.): cry.

plūs (adv.): more.

pol (interj.): by Pollux!

polliceor, -ēri, -itus sum (*v.a.*): promise.

porrō (*adv.*): further.

porta, -ae (*f.*): gate, door.

porticus, -ūs (*f.*): portico, covered walk.

portus, -ūs (*m.*): port, harbour.

posco, -ere, poposci (*v.a.*): demand.

possum, posse, potui (*v.n.*): be able.

post (*prep.+acc.*, and *adv.*): after.

posterior, -ius (*adj.*): behind.

postquam (*conj.*): after.

postrēmō (*adv.*): lastly.

postulo, -āre, -āvi, -ātum (*v.a.*): demand.

potestās, -ātis (*f.*): power, opportunity.

potior, -īri, -ītus sum (*v.n.+gen.*): get possession of.

potius, potissimum (*advs.*): rather; especially.

pōto, -āre (*v.a.*): drink.

prae (*prep.+abl.*): compared with, before, for.

praebeo, -ēre, -ui, -itum (*v.a.*): provide.

praeceptum, -i (*n.*): instruction.

praecipio, -ere, -cēpi, -ceptum (*v.a.*): instruct.

praeclārus, -a, -um (*adj.*): famous.

praeda, -ae (*f.*): booty, prey.

praedico, -āre, -āvi, -ātum (*v.a.*): declare.

praedo, -ōnis (*m.*): pirate.

praemātūrē (*adv.*): prematurely.

praesēns, -ntis (*adj.*): present.

praestō (*adv.*): at hand.

prandeo, -ēre, -ndi (*v.n.*): lunch.

prandium, -ii (*n.*): lunch.

precēs, -um (*f.*): prayers.

prehendo, -ere, -ndi, -nsum (*v.a.*): catch.

pretiōsus, -a, -um (*adj.*): expensive.

prīmus, -a, -um (*adj.*), **primum** (*adv.*): first.

prius (*adv.*): before, first.

priusquam (*conj.*): before.

prō (*interj.*): (with oaths) by . . .!

prō (*prep.+abl.*), for.

probē (*adv*): well.

probo, -āre, -āvi, -ātum (*v.a.*): prove.

procul (*adv.*): far away.

prōdeo, -īre, -ii, -itum (*v.n.*): go forward.

prōdūco, -ere, -xi, -ctum (*v.a.*): beget, father; bring forward.

proelium, -ii (*n.*): battle.

profectō (*adv.*): surely.

proficīscor, -i, -fectus sum (*v.n.*): set out, depart.

prōgredior, -i, -gressus sum (*v.n.*): advance.

prohibeo, -ēre, -ui, -itum (*v.a.*): prevent.

prōmitto, -ere, -mīsi, -missum (*v.a.*): promise.

prope (*prep.+acc.*, or *adv.*): near.

properē (*adv.*): quickly.

propero, -āre, -āvi, -ātum (*v.n.*): hurry.

propter, (*prep.+acc.*): because of.

prospecto, -āre, -āvi, -ātum (*v.a.*): look out.

prospectus, -ūs (*m.*): view.

prōvoco, -āre, -āvi, -ātum (*v.a.*): call.

proximus, -a, -um (*adj.*): next, nearest; *in proximo*, next door.

pudet, -ēre, -uit (*v.a.*): it makes ashamed.

puella, -ae (*f.*): girl.

puer, -i (*m.*): boy.

pugno, -āre, -āvi, -ātum (*v.n.*): fight.

pulcher, -chra, -chrum (*adj.*): beautiful.

pulchritūdo, -inis (*f.*): beauty.

pulso, -āre; pulto, -āre (*v.a.*): knock.

quā (*adv.*): where.

quadrāgintā (*adj.*): forty.

quadringenti, -ae, -a (*adj.*): four hundred.

quaero, -ere, -sīvi, -sītum (*v.a.*): seek, ask.

quaeso, -ere, -īvi (*v.a.*): ask, beg.

quaestio, -iōnis (*f.*): questioning.

quam (*adv.*): how; than.

quamquam (*conj.*): although.

quamvīs (*adv.*): ever so.

quandō (*adv.* and *conj.*): when?; since.

quantus, -a, -um (*adj.*): how great? (*quanti?* for how much?).

quāpropter (*adv.*): wherefore.

quārē (*adv.*): why?

quasi (*adv.*): as if.

quattuor (*adj.*) four.

-que (*conj.*): and.

quemadmodum (*adv.*) how?

quī, quae, quod (*pron.*): who.

quī, quae, quod (*interrog. adj.*): what? which?

quia (*conj.*): because.

quīcumque, quaecumque, quodcumque(*pron.*): whoever.

quid (*adv.*): why?

quīdam, quaedam, quoddam (*pron.*): a certain.

quidem (*adv.*): indeed.

quīn (*conj.*): why not?; nay.

quīnam (*pron.*): who?, what?

quīngenti, -ae, -a (*adj.*): five hundred.

quinquāgintā (*adj.*): fifty.

quis, quid (*pron.*): who?, what? (*sī quis, sī quid,* if anyone, if anything; so too with *num* and *ne*).

quispiam (*pron.*): someone.

quisquam, quidquam (quicquam) (*pron.*): anyone, anything.

quisque (*pron.*): each.

quisquis, quidquid (*pron.*): whoever.

quīvīs, quidvīs (*pron.*): anyone, anything you like.

quō (*adv.*): whither.

quod (*conj.*): because.

quōmodo (*adv.*): how.

quoniam (*adv.*): since.

quoque (*conj.*): also.

rapio, -ere, -pui, -ptum (*v.a.*): snatch, sweep.

rārō (*adv.*): rarely.

ratio, -iōnis (*f.*): calculation, explanation.

recipio, -ere, -cēpi, -ceptum (*v.a.*): receive.

reclūdo, -ere, -si, -sum (*v.a.*): open up.

rectē (*adv.*): rightly.

reddo, -ere, -didi, -ditum (*v.a.*): give back.

redeo, -īre, -ii, -itum (*v.n.*): go back.

redigo, -ere, -ēgi, -āctum (*v.a.*): reduce.

rēfert, -ferre, -tulit (*v.n.*): it matters; (*tuā r.*, it matters to you).

regio, -iōnis (*f.*): district.

rēgius, -a, -um (*adj.*): royal.

relinquo, -ere, -līqui, -lictum (*v.a.*): leave.

remitto, -ere, -mīsi, -missum (*v.a.*): let off, let go.

remoror, -āri, -ātus sum (*v.a.*): delay.

reor, rēri, ratus sum (*v.a.*): think.

repente (*adv.*): suddenly.

reperio, -īri, repperi, repertum (*v.a.*): find.

reposco, -ere (*v.a.*): ask back.

rēs, rei (*f.*): property, business, thing, matter.

respondeo, -ēre, -ndi, -nsum (*v.a.*): answer.

resto, -āre, -stiti (*v.n.*): stay.

rēte, -is (*n.*): net.

revertor, -i, -rsus sum (*v.n.*): return.

rēx, rēgis (*m.*): king.

rogo, -āre, -āvi, -ātum (*v.a.*): ask.

rudēns, -ntis (*m.*): rope.

rumpo, -ere, rūpi, ruptum (*v.a.*): burst.

rursus (*adv.*): again.

rūs, rūris (*n.*): country.

rūsticus, -i (*m.*): countryman.

sacer, -cra, -crum (*adj.*): sacred, accursed.

sacerdōs, -dōtis (*c.*): priest, priest, priestess.

sacrifico, -āre, -āvi, -ātum (*v.a.*): sacrifice.

saepe (*adv.*): often.

saltem (*adv.*): at least.

salūs, -ūtis (*f.*): safety; greeting.

salūto, -āre, -āvi, -ātum (*v.a.*): greet.

salveo, -ēre (*v.n.*): be well; *salvē, -ēte,* how are you?, greetings!

salvus, -a, -um (*adj.*): safe, healthy.

sānctus, -a, -um (*adj.*): sacred.

sānē (*adv.*): certainly.

sānus, -a, -um (*adj.*): healthy, sane.

sapiēns, -ntis (*adj.*): wise.

sapio, -ere, -īvi (*v.n.*): be wise.

sat, satis (*adv.*): enough.

saxum, -i (*n.*): rock.

scapha, -ae (*f.*): boat.

scelestus, -a, -um (*adj.*): criminal, bad.

scelus, -eris (*n.*): crime.

scīo, -īre, -īvi, -ītum (*v.a.*): know.

scūtum, -i (*n.*): shield.

sē (*reflex. pron.*): him-, her-, themselves.

secūricula, -ae (*f.*): little axe.

sed (*conj.*): but.

sedeo, -ēre, -sēdi, sessum (*v.n.*): sit.

sēdulō (*adv.*): actively, busily.

semper (*adv.*): always.

senātus, -ūs (*m.*): senate.

senex, senis (*m.*): old man.

sententia, -ae (*f.*): opinion.

sentio, -īre, -nsi, -nsum (*v.a.*): feel.

septem (*adj.*): seven.

septingenti, -ae, -a (*adj.*): seven hundred.

sequor, -i, secūtus sum (*v.a.*): follow.

sēriō (*adv.*): seriously.

sermo, -ōnis (*m.*): conversation.

servio, -īre, -īvi, -ītum (*v.n.*): to be a slave, serve.

servo, -āre, -āvi, -ātum (*v.a.*): save, guard.

servus, -i (*m.*): slave.

sescenti, -ae, -a (*adj.*): six hundred.

sex (*adj.*): six.

sexāgintā (*adj.*): sixty.

sī (*conj.*): if.

sīc (*adv.*): thus.

signum, -i (*n.*): sign.

sīmia, -ae (*f.*): ape.

similis, -e (*adj.*): like.

simul (*adv.*): at the same time, together.

simulo, -āre ,-āvi, -ātum (*v.a.*): pretend.

sine (*prep.+abl.*): without.

sino, -ere, sīvi, situm (*v.a.*): allow.

sisto, -ere, stiti, statum (*v.a.*): place, put.

sitis, is (*f.*): thirst.

sodālis, -is (*m.*): companion.

sōl, sōlis (*m.*): sun.

solea, -ae (*f.*): shoe.

soleo, -ēre, solitus sum (*v.n.*): be accustomed.

sollicito, -āre, -āvi, -ātum (*v.a.*): harass.

sōlus, -a, -um (*adj.*): alone.

solvo, -ere, -lvi, -lūtum (*v.a.*): loosen; pay; *navim solvere*, set sail.

somnio, -āre, -āvi, -ātum (*v.a.*): dream.

somnium, -ii (*n.*): dream.

sono, -āre, -ui, -itum (*v.n.*) sound.

soror, -ōris (*f.*): sister.

sors, -rtis (*f.*): capital.

speciēs, -ēi (*f.*): appearance.

spectātor, -ōris (*c.*): spectator.

speculor, -āri, -ātus sum (*v.a.*): spy.

speculum, -i (*n.*): mirror.

sperno, -ere, sprēvi, sprētum (*v.a.*), scorn.

spēro, -āre, -āvi, -ātum (*v.a.*): hope.

spēs, -ei (*f.*): hope.

spīro, -āre, -āvi, -ātum (*v.n.*): breathe.

statim (*adv.*): at once.

sto, stāre, steti, statum (*v.n.*): stand.

stultitia, -ae (*f.*): foolishness.

stultus, -a, -um (*adj.*): foolish.

sub (*prep.+abl.*): under.

subitō (*adv.*): suddenly.

sublimis, -e: up in the air.

subvenio, -ire, -vēni, -ventum (*v.n.+dat.*): come to help.

succēdo, -ere, -cessi, -cessum (*v.n.*): go under.

succēnseo, -ēre, -sui, -sum (*v.n.*): be angry.

sum, esse, fui (*v.n.*): be.

summus, -a, -um (*adj.*): highest.

sūmo, -ere, -mpsi, -mptum (*v.a.*): take.

sumptus, -ūs (*m.*): expense.

surgo, -ere, surrēxi, surrēctum (*v.n.*): get up.

surripio, -ere, -ripui, -reptum (*v.a.*): kidnap.

suscito, -āre, -āvi, -ātum (*v.a.*): rouse.

suspendo, -ere, -ndi, -nsum (*v.a.*): hang.

suspīcio, -iōnis (*f.*): suspicion.

suspicor, -āri, -ātus sum (*v.a.*): suspect.

sustineo, -ēre, -tinui, -tentum, sustain.

susurrus, -i (*m.*): whispering.

suus, -a, -um (*adj.*): his, their own.

tabella, -ae (*f.*): tablet, note.

taceo, -ēre, -ui, -itum: be silent.

talentum, -i (*n.*): talent.

tālis, -e (*adj.*): such.

tam (*adv.*): so; **tam ... quam,** as ... as.

tamen (*adv.*): however, nevertheless.

tamquam (*conj.*): as though.

tandem (*adv.*): at last; then.

tango, -ere, tetigi, tāctum (*v.a.*): touch.

tantus, -a, -um (*adj.*): so great.

tēctum, -i (*n.*): roof; house.

tempero, -āre, -āvi, -ātum (*v.n. + dat.*): restrain.

tempestās, -tātis (*f.*): storm.

tempto, -āre, -āvi, -ātum (*v.a.*): try.

tempus, -oris (*n.*): time.

teneo, -ēre, -ui, tentum (*v.a.*): hold, get hold of.

terra, -ae (*f.*): earth.

thalassicus, -a, -um (*adj.*): nautical.

tībīcina, -ae (*f.*): flute-girl.

timeo, -ēre, -ui (*v.n.*): fear.

timidus, -a, -um (*adj.*): fearful.

timor, -ōris (*m.*): fear.

tōtus, -a, -um (*adj.*), whole.

trādo, -ere, -didi, -ditum (*v.a.*): hand over.

traho, -ere, -xi, -ctum (*v.a.*): draw, drag.

trānseo, -īre, -īvi, -itum (*v.a.*): go across.

trānsmarīnus, -a, -um (*adj.*): from across the sea.

trecenti, -ae, -a (*adj.*): three hundred.

tremo, -ere, -ui (*v.n.*): tremble.

trīduum, -i (*n.*): three days.

triennium, -ii (*n.*): three years.

trīgintā (*adj.*): thirty.

triōbolus, -i (*m.*): three obols.

trīstis, -e (*adj.*): sad.

tū (*pron.*): you (*sing.*).

tum (*adv.*): then.

tumultus, -ūs (*m.*): uproar.

tunc (*adv.*): then.

turbidus, -a, -um (*adj.*): violent, stormy.

turbo, -āre, -āvi, -ātum (*v.a.*): confuse, disturb.

tūtus, -a, -um (*adj.*): safe.

tuus, -a, -um (*adj.*): your.

ubi (*conj.*): where, where?; when.

ubīque (*adv.*): everywhere.

ulcīscor, -i, ultus sum (*v.a.*): get vengeance on.

ūllus, -a, -um (*adj.*): any.

ultimus, -a, -um (*adj.*): furthest.

ultrō (*adv.*): of one's own accord.

umquam (*adv.*): ever.

ūnā (*adv.*): together.

unda, -ae (*f.*): wave.

unde (*adv.*): whence.

ūnus, ūna, ūnum (*adj.*): one, alone.

urbs, -is (*f.*): city.

urna, -ae (*f.*): pitcher.

usquam (*adv.*): anywhere.

usque (ad) (*adv.*): right up (to).

ūsus est (*+ abl.*): there is use for, need of.

ut (*conj.*): (*+ subj.*): so that; (*+ indic.*): as, how.

uterque, utraque, utrumque, (*pron.*): both.

utervīs, utravīs, utrumvīs (*pron.*): either.

utinam (*adv.*): would that!

ūtor, -i, ūsus sum (*v.n.*): use.

utrum ... an ... (*adv.*): whether ... or ...?

uxor, -ōris (*f.*): wife.

vacuus, -a, -um (*adj.*): empty.

vadum, -i (*n.*): shallow water.

vae (*interj.*): woe!

vah (*interj.*): oh!

valeo, -ēre, -ui, -itum (*v.n.*): be well; farewell.

validē (*adv.*): strongly.

vānus, -a, -um (*adj.*): empty, vain.

veho, -ere, -xi, -ctum (*v.a.*): convey; *pass.*, sail, ride.

vēnālis, -e (*adj.*): for sale.

vendo, -ere, -didi, -ditum (*v.a.*): sell.

veneror, -āri, -ātus sum (*v.a.*): worship.

venia, -ae (*f.*): pardon.

venio, -īre, vēni, ventum (*v.n.*): come.

ventus, -i (*m.*): wind.

venustus, -a, -um (*adj.*): charming.

verber, -eris (*n.*): lashing.

verbero, -āre, -āvi, -ātum (*v.a.*): lash, flog.

verbum, -i (*n.*): word.

vereor, -ēri, -itus sum (*v.a.*): fear.

vērō (*adv.*): in truth.

vertor, -i, -rsus sum (*v.n.*): be active.

vērum (*adv.*): but.

vērus, -a, -um (*adj.*): true.

vester, -tra, -trum (*adj.*): your (*plur.*).

vestis, -is (*f.*): clothes, dress.

vetus, -eris (*adj.*): old.

via, -ae (*f.*): way.

vīcīnus, -i (*m.*): neighbour.

vicissim (*adv.*): in turn.

video, -ēre, vīdi, vīsum (*v.a.*): see.

videor, -ēri, vīsus sum (*v.n.*): seem.

vidulus, -i (*m.*): chest.

viduus, -a, -um (*adj.*): widowed; mate-less, single.

vigilo, -āre, -āvi, -ātum (*v.n.*): be awake.

vīlis, -e (*adj.*): cheap.

villa, -ae (*f.*): villa.

vir, viri (*m.*): man.

virgo, -inis (*f.*): maiden.

virtūs, -tūtis (*f.*): virtue, quality.

vīso, -ere, -si, -sum (*v.a.*): visit, go to see.

vīta, -ae (*f.*): life.

vīvo, -ere, vīxi, vīctum (*v.n.*): live.

vīvus, -a, -um (*adj.*): alive.

vix (*adv.*): scarcely.

voco, -āre, -āvi, -ātum (*v.a.*): call, invite.

volo, velle, volui (*v.n.*): wish.

voluptās, -tātis (*f.*): joy, pleasure.

volūto, -āre, -āvi, -ātum (*v.a.*): turn over.

vomitus, ūs (*m.*): vomit.

vōs (*pron.*): you.

vōx, vōcis (*f.*): voice.

vultus, -ūs (*m.*): face.